Um Encontro Inesperado

Da mesma autora:

O Carrossel

A Casa Vazia

Os Catadores de Conchas

Com Todo Amor

O Dia da Tempestade

O Fim do Verão

Flores na Chuva

O Quarto Azul

O Regresso

Setembro

Sob o Signo de Gêmeos

Solstício de Inverno

O Tigre Adormecido

Victoria

Vozes no Verão

Rosamunde Pilcher

Um Encontro Inesperado

Tradução
Renato Motta

BERTRAND BRASIL

Título original: *Snow in April*

Capa: Leonardo Carvalho

Editoração: DFL

2003
Impresso no Brasil
Printed in Brazil

Cip-Brasil. Catalogação-na-fonte
Sindicato Nacional dos Editores de Livros. RJ

P686e Pilcher, Rosamunde, 1924-
Um encontro inesperado/Rosamunde Pilcher; tradução Renato Motta. – Rio de Janeiro: Bertrand Brasil, 2003
240p.

Tradução de: Snow in april
ISBN 85-286-0990-1

1. Romance escocês. I. Motta, Renato. II. Título.

CDD – 828.99113
03-0101 CDU – 821.111(411)-3

EDITORA BERTRAND BRASIL LTDA.
Rua Argentina, 171 – 1° andar – São Cristóvão
20921-380 – Rio de Janeiro – RJ
Tel.: (0xx21) 2585-2070 – Fax: (0xx21) 2585-2087

1

Envolvida por uma névoa perfumada, com os cabelos presos em uma touca de banho, Caroline Cliburn descansava inerte na banheira, enquanto ouvia o rádio. O banheiro era grande — tão grande quanto os outros cômodos da casa generosa. Aquele lugar fora, no passado, um quarto de vestir. Diana decidira, no entanto, muito tempo atrás, que as pessoas não usavam nem precisavam de quartos de vestir hoje em dia. Assim, mandara remover todo o revestimento das paredes e convocara bombeiros e carpinteiros. Foram instalados acessórios escolhidos em porcelana cor-de-rosa e um grosso tapete branco. Na janela foram colocadas cortinas de chintz, que iam até o chão. Havia uma mesa baixa com tampo de vidro para colocar sais de banho e revistas. Ali repousavam também grandes potes de vidro ovais, cheios de sabonetes coloridos que recendiam a rosas. Também havia rosas bordadas nas toalhas de banho francesas e no pequeno tapete ao lado da banheira, onde no momento repousavam o penhoar de Caroline, os seus chinelos, o rádio e um livro que ela começara a ler e abandonara.

O rádio tocava uma valsa. Um-dois-três, um-dois-três, suspiravam os violinos, evocando imagens de aplausos, cavalheiros de luvas brancas e damas idosas que, sentadas em cadeiras douradas, acompanhavam com a cabeça os compassos da linda melodia.

Vou usar o novo terninho com calças largas, pensou Caroline. E então se lembrou de que um dos botões dourados havia caído do paletó e, provavelmente, se perdera. Seria perfeitamente possível, é claro, procurar o botão, pegar agulha e linha e costurá-lo no lugar; a operação não levaria mais do que cinco minutos. Era muito mais simples, porém, não fazer nada disso. Ela usaria o *caftan* turquesa, ou o vestido de veludo preto que, segundo Hugh, a fazia parecer-se com Alice no País das Maravilhas.

A água estava ficando fria. Caroline abriu a torneira de água quente com os dedos do pé e decidiu que às sete e meia sairia da banheira para se enxugar, colocar a maquiagem e descer. Iria certamente se atrasar, mas isso não tinha importância. Estariam todos reunidos em volta da lareira à sua espera. Hugh estaria com o *blazer* de veludo que secretamente ela detestava e Shaun apareceria envolvido pela larga faixa escarlate do *smoking*. Os Haldane estariam lá, Elaine já bebendo o seu segundo martíni, e Parker reparando em tudo com seus olhos sugestivos e observadores. Também estariam os convidados de honra, os sócios canadenses nos negócios de Shaun, o Senhor e a Senhora "Monótonos", ou um nome adequado como esse. Após um atraso razoável, todos iriam marchar para o jantar. Sopa de tartaruga, o *cassoulet* que Diana passara a manhã preparando, e um sensacional pudim, que provavelmente seria apresentado em chamas, flambado na hora e acompanhado de "oohs", "aahs" e "Diana, querida, como é que você faz isso?"

Pensar em tudo isso fez Caroline sentir-se nauseada, como sempre vinha acontecendo ultimamente. Essa sensação de enjôo a deixava intrigada. Afinal, indigestão era sabidamente uma característica dos muito velhos, dos gulosos ou, possivelmente, das grávidas. Caroline era jovem, estava com apenas vinte anos, e também não se qualificava em nenhuma das outras duas hipóteses. Não que ela se sentisse doente, no exato sentido da palavra. Simplesmente, jamais estava bem. Talvez fosse melhor ir a um médico antes da próxima terça-feira — não, antes da terça-feira da semana seguinte. E começou a se imaginar tentando explicar a situação ao médico. "Estou para me casar e sinto enjôos o tempo todo", e imaginava o sorriso paternal e compreensivo do doutor. "É bastante natural essa tensão pré-nupcial. Vou lhe dar um sedativo..."

O som da valsa foi diminuindo discretamente, e o locutor anunciou o informativo das sete e meia. Caroline suspirou, sentou-se na banheira e puxou a tampa do ralo, antes que acabasse sucumbindo à tentação de ficar ali dentro mais um pouco. Pulou então sobre o pequeno tapete. Desligou o rádio, secou-se de forma apressada, colocou o roupão e caminhou silenciosamente até o quarto. Pelo caminho, deixou as marcas dos pés molhados sobre o tapete branco. Sentou-se diante da penteadeira guarnecida com babados, arrancou a touca de banho e observou, sem muito entusiasmo, a sua imagem triplamente refletida. Tinha cabelos longos e lisos, muito louros, pendurados de cada lado do rosto como brilhantes borlas de seda. Não era um rosto bonito no verdadeiro sentido da palavra. As maçãs do rosto eram muito salientes, o nariz era grosso, e a boca, um pouco larga. Sabia que tanto poderia parecer horrenda quanto maravilhosa. Só os olhos amendoados, castanho-escuros e com cílios abundantes, eram realmente notáveis, mesmo agora, com aquela aparência cansada que exibia.

(Lembrou-se de Drennan e de algo que ele dissera certa vez, havia muito tempo, segurando-lhe a cabeça entre as mãos e levantando-lhe o rosto para olhar para ele: "Como é que pode, você ter o sorriso de um menino e os olhos de uma mulher? E de uma mulher apaixonada, ainda por cima?" Estavam sentados no banco da frente do carro dele, e do lado de fora estava muito escuro e chovia. Ela lembrava do som da chuva, o tique-taque do relógio do carro, a sensação das mãos dele envolvendo-lhe o queixo, mas era como lembrar da passagem de um livro ou da cena de um filme, uma cena à qual ela tivesse assistido, mas da qual não tivesse participado. Como se tudo tivesse acontecido com uma outra garota.)

Caroline pegou repentinamente a escova, prendeu os cabelos com um elástico e resolveu se maquiar. Quando começou a fazer isso, ouviu passos vindo pelo corredor. Eram passos suaves sobre o tapete grosso, que pararam diante de sua porta. Ouviu batidas leves.

— Sim? — respondeu Caroline.

— Posso entrar? — Era Diana.

— Claro.

A madrasta de Caroline já estava vestida toda de branco e dourado, com o cabelo louro platinado enrolado como uma concha e atravessado por um grampo de ouro. Estava linda como sempre, esbelta, alta, imaculadamente enfeitada. Seus olhos eram azuis e se destacavam na cor acobreada da pele, que era mantida regularmente através de sessões de bronzeamento artificial. Essa era uma das razões pelas quais Diana era tão freqüentemente confundida com uma escandinava. De fato, possuía a rara habilidade das nórdicas de parecer tão bem arrumada em roupas casuais de esquiar, ou até mesmo em roupas de *tweed*, quanto, como estava agora, vestida e pronta para uma noite de extrema formalidade.

— Caroline, mas você não está nem perto de estar pronta!

Caroline começou a fazer movimentos complicados com o pincel sobre os cílios.

— Já estou quase pronta. Você sabe como sou rápida depois que começo a me arrumar. Essa talvez seja a única coisa que eu aprendi no curso de teatro que poderá me ser útil pelo resto da vida: conseguir me maquiar em menos de um minuto.

Essa foi uma observação feita de forma impensada, e Caroline sentiu um imediato arrependimento. "Curso de teatro" ainda era um território proibido no que dizia respeito a Diana, que sempre se enfurecia só de ouvir mencionar tais palavras. E, previsivelmente, ela comentou, com frieza:

— Se é assim, talvez os dois anos que você perdeu lá não tenham sido completamente desperdiçados. — E quando Caroline, vencida, não ofereceu resposta, Diana continuou: — De qualquer modo, não há tanta pressa. Hugh já chegou, e Shaun já está até preparando um drinque para ele. Os Lundstrom, no entanto, vão se atrasar um pouco. A Senhora Lundstrom telefonou há pouco de Connaught para dizer que John ficou preso até mais tarde em uma reunião.

— Lundstrom! Eu não conseguia me lembrar do nome. Eu os estava chamando de Sr. e Sra. "Monótonos" — disse Caroline.

— Isso é muito injusto! Você nem mesmo os conhece.

— E você conhece?

— Sim, e acho que são muito agradáveis.

Começou então, de forma apropriada, a arrumar tudo em volta de Caroline, movendo-se por todo o quarto, juntando os sapatos em pares aqui, dobrando um suéter ali e recolhendo a toalha de banho úmida que continuava largada no chão, bem no meio do cômodo. Dobrou a toalha e a carregou de volta para o banheiro, onde Caroline pôde ouvir seus esforços para lavar a pia, abrindo e fechando o armário espelhado e, sem dúvida, tampando o pote de creme.

Caroline elevou a voz:

— Diana, em que o Senhor Lundstrom trabalha?

— O quê? — perguntou Diana, reaparecendo no quarto. Caroline repetiu-lhe a pergunta.

— Ele é um banqueiro — respondeu Diana.

— Está envolvido no novo negócio de Shaun?

— Está, e muito! Ele o está financiando. Esse é o motivo de vir ao país, para acertar alguns detalhes finais.

— Então, temos todos que ser muito charmosos e bem-comportados — finalizou Caroline, deixando cair o roupão e indo, nua, à procura de suas roupas.

Diana sentou-se na beira da cama e comentou:

— E isso seria um esforço tão grande assim? Caroline, você está tremendamente magra. Na verdade, magra até demais. Você devia tentar ganhar um pouco de peso.

— Estou bem! — reagiu Caroline, enquanto pegava duas peças íntimas em uma gaveta abarrotada e começava a vesti-las. — Sou magra assim mesmo!

— Tolice! Todas as suas costelas estão aparecendo! E você não come o suficiente nem para manter um passarinho vivo. Até mesmo Shaun notou isso um dia desses, e você sabe que normalmente ele é muito desligado.

Caroline já estava colocando um par de meias, e Diana continuou:

— Sua cor está feia, você está muito pálida. Reparei agora mesmo, quando entrei no quarto. Talvez fosse bom se você começasse a tomar alguns comprimidos de ferro.

— Isso não escurece os dentes?

— Não! Onde foi que você ouviu essa crendice?

— Talvez minha aparência tenha algo a ver com o casamento. Ou com o fato de ser obrigada a escrever cento e quarenta e três cartas de agradecimento.

— Não seja ingrata! Oh, a propósito, eu estava agora mesmo no telefone com Rose Kintyre. Ela estava querendo saber o que você gostaria de ganhar como presente de casamento. Sugeri aquele conjunto de cálices de que você demonstrou gostar tanto, na Rua Sloane, lembra? Aqueles com as iniciais gravadas. O que você vai vestir esta noite?

Caroline abriu o guarda-roupa e puxou o primeiro vestido que lhe veio à mão, que por acaso era o de veludo preto.

— Este?

— Sim! Adoro esse vestido. Mas você vai ter que usar meias escuras, para combinar com ele.

Caroline pendurou-o de volta e tirou o seguinte.

— E então, que tal este? — Era o *caftan*. Felizmente, não era o terninho.

— Sim! Esse é charmoso... Se você colocar os brincos de ouro.

— Eu perdi aqueles brincos!

— Oh, não! *Não aqueles*, maravilhosos, que Hugh lhe deu!

— Bem, não os perdi, exatamente. Devo apenas ter colocado em algum lugar e não consigo lembrar onde. Não se preocupe! — E jogou o *caftan* de seda turquesa sobre a cabeça, fazendo-o descer suavemente. — De qualquer modo, brincos não sobressaem em mim, a não ser que meu cabelo esteja bem penteado.

Começando a fechar os minúsculos botões, perguntou:

— Diana... E Jody? Onde é que ele está jantando?

— Com Katy, no andar lá de baixo. Eu lhe disse que poderia jantar conosco, se quisesse, mas ele preferiu assistir a um faroeste na TV.

— E ele está lá embaixo neste instante? — perguntou Caroline, soltando o cabelo e escovando-o suavemente.

— Acho que sim.

Caroline borrifou perfume em volta de si mesma de forma casual, com a primeira embalagem de *spray* que veio à sua mão. Disse então:

— Diana, se você não se importa, antes de ir para a sala eu queria descer para dar boa-noite a Jody.

— Não demore muito. Os Lundstrom estarão aqui em dez minutos.

— Não vou demorar.

Caroline e Diana desceram juntas. Quando estavam nos degraus do meio, chegando à saleta, a porta da sala de visitas se abriu e Shaun Carpenter surgiu, segurando um balde de gelo de cor vermelha, em forma de maçã e com um talo dourado sobre a tampa que servia como alça. Olhou para cima e as viu.

— Acabou o gelo — disse ele, à guisa de explicação, e então fez uma cara espantada, como um comediante que olha duas vezes com os olhos arregalados, paralisado pela aparência das duas damas. Permaneceu imóvel no meio da saleta, testemunhando a descida das duas.

— Nossa! Não é que estão ambas maravilhosas? Que dupla de mulheres deslumbrantes!

Shaun era o marido de Diana, e Caroline referia-se a ele de diversas formas. Às vezes o chamava de "marido de minha madrasta". Eventualmente, falava que ele era um "duplo padrasto". Outras vezes chamava-o, simplesmente, de Shaun.

Ele e Diana estavam casados há pouco mais de três anos. Shaun, porém, costumava dizer com orgulho que já conhecia Diana e a adorava há muito mais tempo que isso.

"Eu a encontrei pela primeira vez há muitos anos", costumava dizer. "E quando comecei a pensar que já a tinha colocado de vez em minha vida, Diana se foi inesperadamente para as Ilhas Gregas, a fim de comprar uma propriedade. De repente, lá estava ela me escrevendo para contar que encontrara um arquiteto e se casara com ele. Chamava-se Gerald Cliburn, vivia na total pobreza, chegara com uma família já completa e era boêmio como ninguém. Essa notícia me pegou completamente de surpresa."

Shaun, entretanto, permanecera fiel às lembranças de Diana. Como naturalmente era um homem bem-sucedido, fizera igual sucesso no papel de solteirão profissional, aquele do homem mais velho e mais sofisticado, muito procurado pelas anfitriãs de Londres e sempre com a agenda lotada de compromissos sociais para muitos meses à frente.

De fato, sua vida de solteiro era tão extraordinariamente bem organizada e satisfatória que, quando Diana Cliburn, viúva e com dois enteados a tiracolo, retornou a

Londres para fixar residência na antiga casa e começou também a reatar antigos laços e organizar vida nova, houve certa especulação sobre o que Shaun Carpenter iria fazer. Será que ele se enraizara assim tão profundamente em suas confortáveis rotinas de solteirão? Será que ele, ainda que por causa de Diana, iria desistir de sua independência e ceder à vida enfadonha de um chefe de família comum? Os mexeriqueiros duvidavam muito disso.

Mas eles não contavam com Diana, que retornara de Aphros mais maravilhosa e desejável do que nunca. Tinha agora trinta e dois anos e estava no auge da beleza. Shaun, ao tentar cautelosamente renovar a amizade, caiu derrubado em questão de dias. Em menos de uma semana já a pedira em casamento, e esse pedido foi renovado regularmente a cada sete dias, até que ela finalmente concordou.

A primeira coisa que Diana o obrigou a fazer foi dar a notícia, ele próprio, a Caroline e Jody.

— Não posso ser um pai para vocês — dissera-lhes Shaun na ocasião, andando de um lado para o outro sobre o tapete da sala de visitas e sentindo um calor subir-lhe pelo pescoço em volta do colarinho, sob o olhar claro e curiosamente idêntico das duas crianças. — De qualquer modo, não saberia mesmo como ser um pai... — continuou ele. — O que quero que vocês saibam, porém, é que poderão sempre contar comigo, seja para fazer confidências ou para pedir ajuda financeira... Afinal de contas, esta é a casa de vocês... Eu queria também que vocês sentissem que... — E foi em frente, tropeçando nas palavras e praguejando intimamente contra Diana por tê-lo colocado nessa situação desconfortável. Preferia que ela tivesse deixado que o seu relacionamento com Caroline e Jody se desenvolvesse devagar e naturalmente, mas Diana era impaciente por natureza, gostava de todas as cartas na mesa, e queria que naquele caso tudo ficasse em pratos limpos desde o início.

Jody e Caroline ficaram olhando para Shaun de forma compreensiva, mas não disseram nada que pudesse ajudá-lo. Na verdade, gostavam de Shaun Carpenter e perceberam, mesmo com os puros olhos da sua pouca idade, que Diana já o tinha na palma da mão. Ele falou da casa em Milton Gardens como se fosse também o lar deles, embora a idéia de lar, para eles, estivesse ligada para sempre à casinha branca em forma de cubo de açúcar que ficava empoleirada acima do azul-marinho do mar Egeu. Tudo isso, porém, acabara. Afundara sem vestígios na confusão do passado. O que Diana decidiria fazer com a vida dela a partir dali e quem ela escolheria para marido não dizia respeito a eles. No entanto, se ela tinha mesmo que se casar com alguém, os irmãos estavam muito contentes que fosse com o grande e bondoso Shaun.

Agora, enquanto Caroline passava na frente dele, Shaun permanecia imóvel meio de lado, cortês e engomado, ligeiramente ridículo, com o balde de gelo nas mãos, estendido agora como se fosse uma oferenda. Cheirava a perfume "Brut" e tinha também um aroma indefinido de roupa recém-lavada. Caroline lembrou-se do rosto de seu pai, freqüentemente com a barba por fazer em torno do queixo, e as camisas azuis de operário que ele preferia vestir assim que saíam da corda, sem um toque sequer do ferro de passar. Lembrou-se também das brigas e discussões às quais ele e Diana alegremente se entregavam, como em um jogo, e de onde seu pai quase sempre saía vencedor. E se admirou mais uma vez com o fato de uma mulher poder se casar com dois homens que eram tão completamente diferentes um do outro.

Descer para o subsolo da casa, um domínio de Katy, era como sair de um mundo e entrar em outro. No andar de cima estavam os tapetes em tons pastel, os candelabros, as pesadas cortinas de veludo. No andar de baixo todas as coisas estavam espalhadas, nada era planejado, e tudo parecia mais alegre. O linóleo xadrez competia com pequenos tapetes felpudos em cores vivas, as cortinas tinham desenhos de ziguezague e padrões de folhas. Toda superfície horizontal ostentava uma grande quantidade de fotografias, cinzeiros de porcelana trazidos de pousadas à beira-mar, conchas pintadas e vasos com flores de plástico. Um gostoso fogo crepitava vermelho na lareira. Diante dele, encolhido em uma cadeira de braços já muito gasta, com os olhos grudados na tela com luz trêmula da TV, estava o irmão de Caroline, Jody.

Usava *jeans* e um suéter de gola rulê azul-marinho, botas de cano curto surradas e, por nenhuma razão em particular, um chapéu de iatismo que estava quase se desfazendo e era muitos números maior do que a sua cabeça. Ele olhou quando Caroline entrou e a seguir virou a cabeça imediatamente de volta em direção à tela. Não queria perder um tiro sequer e nem um segundo da ação.

Caroline empurrou-o para o lado e sentou-se na cadeira, junto dele. Depois de algum tempo, perguntou:

— Quem é a mocinha do filme?

— Ah, ela é uma idiota! Está sempre beijando. É uma dessas...

— Então, desligue a TV.

Jody ficou considerando a sugestão e decidiu que talvez fosse uma boa idéia. Pulou da cadeira e desligou o aparelho. A televisão escureceu com um gemido curto, e ele permaneceu de pé sobre o tapete, diante da lareira, olhando para Caroline.

Jody tinha onze anos, uma boa idade. Não era mais bebê, mas ainda não tinha ficado alto, magricela, mal-humorado e cheio de espinhas. Suas feições eram tão semelhantes às de Caroline, que as pessoas estranhas, mesmo ao vê-los pela primeira vez, sabiam que não poderiam ser outra coisa a não ser irmãos. Entretanto, enquanto o cabelo de Caroline era louro, o de Jody era de um castanho tão vivo, que beirava o ruivo, e enquanto as sardas da irmã confinavam-se a alguns pontos esparsos sobre o arco do nariz, as de Jody estavam em toda parte, espalhadas como confetes pela superfície das costas e pelos ombros, descendo pelos braços. Seus olhos tinham um tom cinza. Seu sorriso, um pouco lento, era cativante quando aparecia, revelando dentes um pouco grandes para o tamanho do rosto e ligeiramente tortos, como se estivessem empurrando uns aos outros para abrir espaço e entrar em cena.

— Onde está Katy? — perguntou Caroline.

— Lá em cima, na cozinha.

— Você já jantou?

— Já.

— Comeu o mesmo prato que ela vai servir no nosso jantar?

— Não, tomei sopa. Não queria nem provar aquela outra comida de vocês, então Katy também me preparou *bacon* com ovos.

— Gostaria de ter jantado com você, para comer isso também. Já viu Shaun e Hugh?

— Já. Estive lá em cima — e fez uma careta. — Os Haldane estão chegando, falta de sorte a sua. — E trocaram um sorriso de cumplicidade. Suas impressões sobre os Haldane eram parecidas.

— Onde foi que você conseguiu esse chapéu? — perguntou Caroline.

— Eu o encontrei. — Jody esquecera que estava de chapéu, e o tirou da cabeça com um jeito tímido. — Estava no fundo do baú de roupas velhas, no quarto de brinquedos.

— Esse chapéu era do papai.

— É. Imaginei que deveria ser dele.

Caroline se inclinou e o pegou da mão de Jody. O chapéu estava sujo e deformado, tinha manchas irregulares e esbranquiçadas de sal, e a bainha estava começando a descosturar.

— Papai costumava usá-lo quando saía para velejar. Dizia que quando se está vestido de modo apropriado para andar de barco, ganha-se mais confiança. Assim, quando alguém o xingava por ter feito algo errado, ele costumava xingar de volta. — Jody sorriu. — Você se lembra de ouvi-lo dizer coisas como essa?

— Às vezes. Eu lembro de quando ele lia as historinhas do Rikki Tikki Tavi.

— Mas você era um garotinho!... Devia ter uns seis anos. E se lembra disso? — Ele sorriu de novo. Caroline se levantou e colocou o velho chapéu de volta na cabeça do menino. A aba ficou caída para a frente, e Caroline teve que se abaixar para poder alcançar o rosto do irmão sob o chapéu e beijá-lo.

— Boa-noite — disse.

— Boa-noite — respondeu Jody, sem se mover.

Ela estava relutando em deixá-lo. Ao chegar ao pé da escada, virou-se. Jody estava ainda olhando para ela de modo atento, por baixo da ponta do chapéu, que continuava caída de forma ridícula sobre seu rosto. Havia algo em seus olhos que fez Caroline perguntar:

— Há algo errado?

— Não, nada.

— Então nos vemos amanhã.

— Certo, tudo bem — disse Jody. — Boa-noite.

De volta ao andar de cima, Caroline encontrou a porta da sala de visitas fechada e ouviu um murmúrio abafado de vozes que vinham de dentro. Katy estava nesse instante colocando um casaco de peles escuro em um cabide, pendurando-o em seguida no armário para agasalhos, que ficava ao lado da porta de entrada. Usava vestido marrom-escuro e um avental florido, o seu modo de quebrar a formalidade do jantar, e teve um sobressalto, pulando de modo dramático quando Caroline apareceu de repente.

— Nossa! Você me deu um susto!

— Quem é que chegou?

— O Senhor e a Senhora Haldane — e jogou a cabeça para o lado em direção à sala. — Acabaram de entrar. É melhor você entrar também, porque já está atrasada!

— Fui ver Jody. — Relutante em se juntar ao grupo na sala, Caroline resolveu ficar um pouco mais com Katy, e se encostou à ponta do corrimão da escada. Ficou imaginando a felicidade que seria subir de volta, pular na cama e comer apenas um ovo cozido.

— Ele ainda está assistindo ao filme de índios na TV? — perguntou Katy.

— Não, desistiu! Reclamou que havia muitas cenas de beijo.

— Bem, é melhor ver beijos do que toda aquela violência, isso é o que eu sempre digo. — Katy torceu a cara e fechou a porta do armário da entrada. — É bem melhor que as crianças vejam cenas de amor e fiquem tentando entender aquilo tudo do que assistir àquelas cenas violentas e depois saírem pela rua espancando velhinhas com guarda-chuvas.

E depois de fazer essa notável observação voltou à cozinha. Caroline ficou sozinha no saguão de entrada e, sem nenhuma outra desculpa para maiores atrasos, atravessou a saleta, colocou um sorriso no rosto e abriu a porta da sala de visitas. (Outra coisa importante que ela aprendera na escola de teatro foi como realizar uma entrada marcante.) O murmúrio das conversas cessou de imediato e alguém exclamou: "Caroline chegou!"

A sala de visitas de Diana à noite, toda iluminada para a festa, era tão espetacular quanto qualquer palco de teatro. As três janelas altas que davam para a rua sossegada eram guarnecidas com cortinas de veludo em um tom claro de amêndoa, ligeiramente esverdeado. Havia imensos e macios sofás em tons rosa e bege, um carpete cor de areia e, combinando maravilhosamente com os quadros antigos, móveis em imbuia no estilo Chippendale e uma mesinha de café italiana em estilo moderno, feita de aço e vidro. Havia flores em toda parte, e o ar estava embebido por uma variedade de aromas deliciosos e caros. Era um cheiro misturado de jacintos com "Madame Rochas", e um toque dos autênticos charutos Havana de Shaun.

Todos estavam exatamente como Caroline os havia imaginado: agrupados em torno da lareira, conversando, com seus drinques na mão. Antes mesmo, porém, de ela fechar novamente a porta da sala atrás de si, Hugh já havia se destacado do grupo, colocara seu copo sobre a mesa e atravessara a sala para recebê-la.

— Querida! — Segurou Caroline com as duas mãos sobre seus ombros e se abaixou para beijá-la. Em seguida, olhou discretamente para seu relógio de ouro que era fino como um papel, e, ao fazer isso, exibiu a ponta do punho da camisa, imaculadamente branca e toda engomada, preso por abotoaduras de ouro trançado.

— Você está atrasada!

— Mas os Lundstrom ainda nem chegaram!

— Onde você estava?

— Com Jody.

— Então está perdoada.

Hugh era alto, muito mais alto que Caroline. Era magro, com a pele morena, e estava começando a ficar calvo. Isso o fazia parecer mais velho do que a sua idade verdadeira, que era de trinta e três anos. Usava um paletó azul-marinho de veludo e uma camisa social com discretas listras bordadas. Seus olhos, embaixo de sobrancelhas grossas e marcantes, eram castanho-escuros e exibiam, nesse momento, uma expressão que misturava satisfação, irritação e um pouco de orgulho.

Caroline sentiu esse orgulho e ficou aliviada. Hugh Rashley alimentava grandes expectativas com relação a Caroline, e ela passava metade do tempo lutando contra a sensação de se sentir inútil. Tirando isso, ele era, como futuro marido, totalmente satisfatório. Bem-sucedido em sua carreira de corretor na Bolsa de Valores, Hugh era maravilhosamente atencioso e tinha muita consideração por ela, mesmo quando seus padrões pareciam desnecessariamente elevados. Mas talvez isso fosse de se esperar, pois era uma característica comum na família de Hugh, e ele era, afinal de contas, irmão de Diana.

Devido ao fato de que Parker Haldane se sentia atraído por mulheres com pouca idade e bonitas sem demonstrar nenhum constrangimento por isso, e também por Caroline se enquadrar em suas preferências, as maneiras de Elaine Haldane em relação à jovem eram normalmente frias, mas não provocavam nenhuma preocupação desnecessária em Caroline, por dois motivos. Um deles é que ela raramente se encontrava com Elaine, pois os Haldane moravam em Paris, onde Parker estava à frente da filial francesa de uma grande agência de propaganda americana, e só vinha a Londres a cada dois ou três meses, para reuniões importantes. A visita daquele dia estava acontecendo em uma dessas ocasiões.

O outro motivo é que Caroline, secretamente, não gostava muito de Elaine. Isso era lamentável, pois Elaine e Diana eram grandes amigas. "Por que você sempre tem que ser tão distante e hostil com Elaine?", era o que Diana costumava perguntar, e Caroline aprendera a encolher os ombros e dizer apenas "Desculpe...", pois qualquer tentativa de dar uma explicação mais detalhada a respeito disso poderia ser ainda mais ofensivo.

Elaine era uma mulher bela e com aparência distinta. Tinha, porém, uma antiga tendência a se vestir com certo exagero que nem mesmo o fato de morar em Paris conseguira curar. Podia ser extremamente divertida, mas Caroline descobrira, através de experiências amargas, que seus gracejos escondiam farpas agudas de crueldade verbal, sempre dirigidas a amigos e conhecidos que coincidentemente nunca estavam presentes. Era preocupante ouvi-la falar dos outros, porque as pessoas jamais poderiam imaginar o que Elaine estava planejando dizer sobre elas depois, pelas costas.

Parker, por outro lado, não era para ser levado a sério.

— Você, minha criatura maravilhosa... — e se curvou para executar um floreado beijo sobre a mão de Caroline, que ficava sempre esperando que ele, após o beijo, batesse os calcanhares. — Por que é que você tem sempre que nos fazer esperar pela sua chegada?

— Fui me despedir de Jody, que já vai para a cama — respondeu ela, virando-se para a esposa dele. — Boa noite, Elaine! — e as duas se tocaram levemente com as bochechas, jogando sons de beijos para o ar.

— Alô, querida. Que vestido lindo!

— Obrigada.

— Esses vestidos assim largos e soltos são tão práticos de usar... — e deu uma longa tragada no cigarro, jogando a cabeça para trás e expelindo uma imensa nuvem de fumaça. — Estava agora mesmo falando com Diana a respeito de Elizabeth.

— O que aconteceu com ela? — perguntou Caroline educadamente, ficando subitamente sem ânimo, pois sabia que lhe seria comunicado com todos os detalhes que Elizabeth ficara noiva; ou que Elizabeth estivera recentemente com algum importante líder árabe; ou que Elizabeth estivera recentemente em Nova York, fazendo um trabalho de modelo para a edição internacional da revista *Vogue.* Elizabeth era a filha de Elaine, nascida de um casamento anterior. Era um pouco mais velha que Caroline e, apesar do fato de às vezes Caroline sentir que sabia mais sobre Elizabeth do que ela própria, as duas jamais haviam se encontrado. Elizabeth dividia seu tempo entre os pais, com a mãe em Paris e o pai na Escócia. Nas raras ocasiões em que aparecera em Londres, Caroline estava invariavelmente fora.

— Ela não esteve recentemente nas Antilhas, Bahamas, ou algo assim? — perguntou Caroline, tentando se lembrar das últimas notícias que tivera a respeito de Elizabeth.

— Sim, minha querida, ela estava lá com uma velha amiga dos tempos de colégio, divertindo-se maravilhosamente. Só que voltou há alguns dias, foi se encontrar com o pai em Prestwick e recebeu uma notícia terrível.

— Que notícia?

— Bem... Sabe?... Há dez anos, quando Duncan e eu ainda estávamos juntos, nós compramos uma grande propriedade na Escócia... Na verdade, foi Duncan quem comprou, apesar de eu ter sido categoricamente contra... Para o casamento, aquela foi a gota d'água... — Parou de falar de repente, com uma expressão confusa no rosto.

— E Elizabeth?... — incentivou Caroline, com delicadeza.

— Ah, sim!... É claro... Bem, a primeira coisa que Elizabeth fez naquele lugar foi travar amizade com os dois irmãos que viviam na propriedade vizinha... Bem, não eram meninos, exatamente, já eram adultos quando os conhecemos. Os dois eram a personificação do charme, e colocaram Elizabeth sob suas asas, protegendo-a como se fosse uma espécie de irmã mais nova. Em um piscar de olhos já era considerada da casa. Entrava e saía da mansão deles como se tivesse morado lá a vida inteira. E ambos a adoravam, embora o irmão mais velho tivesse uma quedinha especial por ela. Pois, minha querida, pouco antes de ela chegar lá de volta, esta última vez, ele morreu em um terrível acidente de carro. Com as estradas em um estado medonho e cheias de gelo, o carro do pobre rapaz bateu de frente em um muro de pedra.

— Nossa, que coisa horrível! — Caroline não conseguiu evitar o sobressalto, e o seu choque era verdadeiro.

— Sim, uma coisa horrorosa. Tinha apenas vinte e oito anos, o rapaz. Um fazendeiro maravilhoso, tão jovem, bem-apanhado, bonito mesmo, uma pessoa muito gentil e educada. Você bem pode imaginar Elizabeth, pobrezinha, chegando em casa e recebendo uma notícia como essa. Ligou para mim em lágrimas para contar. Sugeri que ela voltasse imediatamente aqui para Londres, para que pudéssemos animá-la um pouco, mas ela argumentou que poderia ser mais útil ficando por lá.

— Tenho certeza de que o pai dela vai preferir tê-la por perto em um momento como esse. — Era Parker, que escolhera este momento para se materializar ao lado de Caroline, trazendo para ela um martíni tão gelado que o copo quase lhe congelou os dedos, antes de continuar a falar: — Quem é que nós estamos esperando?

— Os Lundstrom. São canadenses. O Senhor Lundstrom é um banqueiro de Montreal. Esta visita tem a ver com o novo projeto de Shaun.

— Quer dizer que Diana e Shaun estão realmente de

mudança para o Canadá? — perguntou Elaine. — Mas o que é que nós vamos fazer sem eles por aqui? — Virou-se para Diana, desolada. — Querida, como vamos ficar sem você por perto?

— Por quanto tempo eles vão morar fora? — perguntou Parker.

— Três ou quatro anos. Talvez menos. Vão partir assim que possível, logo depois do meu casamento.

— E esta casa? Você e Hugh vão ficar morando aqui depois de casados?

— Não. Aqui é grande demais para nós dois. Além do mais, Hugh possui um apartamento próprio, e perfeitamente adequado. Katy é que vai ficar morando lá embaixo, assim como se fosse uma espécie de caseira. Diana pensou até mesmo em alugar a casa, se conseguir encontrar o inquilino certo.

— E Jody?

Caroline olhou para Parker por um instante, sem responder. Depois baixou os olhos para o seu drinque.

— Jody vai com eles. Também vai morar lá.

— Você não se importa com isso?

— Sim, claro que me importo. Mas Diana quer levá-lo.

E Hugh, pensou, *não quer começar o casamento com um menino a tiracolo. Pelo menos não por agora. Talvez um bebê, daqui a uns dois anos, mas não um menino já grande, com onze anos... e Diana já o matriculou em uma escola particular no Canadá... e Shaun diz que vai ensiná-lo a esquiar e jogar hóquei.* Parker ainda estava olhando para Caroline, e ela deu um sorriso de lado, dizendo:

— Você conhece Diana, Parker. Ela faz planos e... click!, em um estalar de dedos eles acontecem.

— Você vai sentir falta dele, não vai?

— Vou... Vou sentir muita falta de meu irmão.

* * *

Os Lundstrom finalmente chegaram, foram apresentados, receberam drinques e foram inseridos, educadamente, na conversa. Caroline saiu discretamente para o lado, sob o pretexto de procurar um cigarro, e ficou observando o casal de recém-chegados, com um pouco de curiosidade. Achou que se pareciam um com o outro, como as pessoas casadas há muitos anos freqüentemente se parecem. Ambos eram altos, com formas angulosas, quase atléticas. Ela os imaginou jogando golfe, juntos, durante os fins de semana, ou velejando, talvez até participando de regatas no verão. O vestido da Senhora Lundstrom parecia simples, mas os seus diamantes eram sensacionais. O Senhor Lundstrom possuía aquela aura indistinta e sem cor que encobria o seu contorno real como pessoa; uma névoa comum aos homens espetacularmente bem-sucedidos.

De repente, Caroline pensou que seria maravilhoso, assim como uma brisa de ar fresco, se naquela casa entrasse inesperadamente alguém que fosse pobre, fracassado, sem valores morais elevados, ou pelo menos bêbado. Um artista, talvez, passando fome nas sarjetas. Um escritor que escrevesse histórias que ninguém jamais compraria. Ou algum catador de latas bastante animado, que exibisse uma barba de três dias por fazer e uma barriga deselegante que transbordasse por cima do cinto, para fora das calças. Lembrou-se dos amigos do pai na Grécia, geralmente com má reputação, sempre com características próprias e totalmente independentes. Bebiam vinho tinto ou bebidas gregas baratas pela noite adentro, dormiam onde quer que caíssem, geralmente no sofá já muito gasto da sala, ou então sentados em alguma poltrona, com os pés colocados sobre a mureta do terraço. E se lembrou da casa toda branca em Aphros, à noite, pintada pelo luar em blocos escuros e claros, sempre com o som do mar ao fundo.

— E então... Vamos entrar para jantar!

Era Hugh. Caroline notou que ele já dissera isso a ela, e fora obrigado a repetir.

— Você estava sonhando acordada, Caroline. Termine logo o seu drinque, pois já está na hora de irmos para a sala de jantar. Venha, vamos comer alguma coisa.

Na mesa de jantar, ela se viu sentada entre John Lundstrom e Shaun. Este último estava ocupado preparando o vinho, e então Caroline começou a conversar de modo natural com o Senhor Lundstrom.

— É a sua primeira visita à Inglaterra?

— Não, não. Já estive aqui nesta terra muitas vezes. — Empunhou a faca e o garfo e franziu levemente as sobrancelhas. — Agora, deixe ver se eu entendi direito... essa relação de parentesco entre vocês... Caroline, quem é você, é a enteada de Diana?

— Sim, isso mesmo. E vou me casar com Hugh, que é o irmão dela, na próxima semana. A maioria das pessoas acha que isso é quase ilegal, mas na verdade não é. Quer dizer, não existe nada de errado, nem mesmo sob o aspecto religioso.

— Ora, mas eu não pensei nem por um momento que fosse ilegal. Acho simplesmente muito bem adequado e perfeito. Uma forma de manter as pessoas certas todas na mesma família.

— Mas essa não é uma maneira muito limitada de pensar?

Ele olhou para ela e sorriu. Parecia mais jovem, mais

alegre e menos rico quando sorria... Mais humano. Caroline começou a gostar dele.

— Eu não diria limitada. Chamaria de prática. Quando é que vocês vão se casar mesmo?

— Na terça-feira da semana que vem. Mal posso acreditar que já está tão próximo.

— E vocês vão aparecer para visitar Shaun e Diana em Montreal?

— Acho que sim... Mais tarde, não agora, de imediato.

— E ainda tem o menino...

— Sim. Jody, meu irmão.

— Ele vai para o Canadá com eles?

— Sim.

— Vai adorar! Vai se sentir como um peixe dentro d'água, lá no Canadá. É um lugar fabuloso para um menino crescer.

— Sim — repetiu Caroline.

— E são apenas vocês dois, não é? Não há outros irmãos?

— Há, sim — respondeu ela. — Temos o Angus.

— Mais um irmão, então?

— Sim. Ele já tem quase vinte e cinco anos.

— E em que ele trabalha?

— Não sabemos.

John Lundstrom levantou as sobrancelhas de uma forma que era educada, mas denotava surpresa.

Caroline continuou:

— Foi isso mesmo que eu disse. Nós não temos a menor idéia do que ele faz na vida, nem de onde está. Sabe, é que todos vivíamos na ilha de Aphros, no Mar Egeu. Meu pai era arquiteto lá, e era também um tipo de corretor para pessoas que queriam comprar propriedades e construir casas no local. Foi assim que ele e Diana se conheceram.

— Mas... Espere aí. Quer dizer que Diana foi até lá para comprar terras?

— Sim, queria construir uma casa. Mas não fez uma coisa nem outra. Em vez disso, encontrou meu pai e se casou com ele. Ficou em Aphros, ela e todos nós, morando na casa que tínhamos lá.

— Aí vocês acabaram voltando para Londres depois de algum tempo...

— Sim. É que meu pai morreu, e então Diana voltou e nos trouxe com ela. Foi quando Angus resolveu que não queria voltar para Londres conosco. Já tinha dezenove anos na época, estava com os cabelos compridos até os ombros e não possuía absolutamente nada na vida. Diana falou que, se preferisse, ele poderia continuar morando na casa em Aphros. Angus, porém, disse que era melhor que ela colocasse a casa à venda, pois ele comprara um pequeno carro usado e decidira ir dirigindo até a Índia, atravessando o Afeganistão. Quando Diana perguntou o que é que ele iria fazer quando chegasse lá, Angus respondeu que iria "se encontrar".

— Então ele é apenas mais um entre milhares que fazem isso, todos os anos. Você sabe disso, não?

— Sim, mas quando se trata do seu irmão, as coisas não são tão fáceis de aceitar.

— E vocês tornaram a vê-lo depois disso?

— Sim. Ele voltou pouco depois do casamento de Diana e Shaun, mas... Sabe como essas coisas são... Nós pensávamos que pelo menos ele teria um par de sapatos para calçar, mas Angus continuava o mesmo, e sem arrependimentos. Tudo o que Diana sugeria só o fazia sentir-se pior; então, ele acabou voltando para o Afeganistão e não soubemos mais dele.

— Nem uma notícia?

— Bem... Só uma vez. Recebemos um cartão-postal de Cabul, ou Srinagar, ou Teerã... Um desses lugares. — Ela sorriu, tentando transformar isso em uma piada, mas antes que John Lundstrom sequer pensasse em fazer algum tipo de comentário, Katy se curvou por cima dos ombros dele para colocar sobre a mesa uma tigela com sopa de tartaruga. Com essa interrupção de Katy, ele se virou para o outro lado e começou a conversar com Elaine.

A reunião prosseguiu, formal, previsível e, para Caroline, enfadonha. Depois de tomarem café e conhaque, todos se reuniram mais uma vez na sala de visitas. Os homens se aglomeraram em um dos cantos da sala para falar de negócios, e as mulheres se juntaram em torno da lareira, onde fizeram mexericos, falaram de planos para o Canadá e admiraram a tapeçaria na qual Diana estava trabalhando no momento.

Depois de algum tempo, Hugh se destacou do grupo masculino de forma ostensiva, para tornar a encher o copo de John Lundstrom. Depois de ter feito isso, veio até Caroline, sentou-se no braço da poltrona em que ela estava e perguntou:

— E você, como é que está se sentindo?

— Por que pergunta?

— Para saber se está bem o bastante para ir até o Arabella's.

Ela olhou para cima. Visto do fundo da poltrona, o

rosto de Hugh aparecia quase de cabeça para baixo. Era estranho.

— Que horas são? — perguntou ela.

— Onze! — Olhou para o relógio. — Talvez você esteja muito cansada...

Antes que tivesse a chance de responder, Diana, que tinha entreouvido a conversa, levantou os olhos da tapeçaria que exibia e disse:

— Saiam logo. Vão, vão, vocês dois!

— Para onde eles vão? — quis saber Elaine.

— Arabella's. É um pequeno clube noturno privativo, do qual Hugh é sócio.

— Ora... Parece interessante. — Elaine deu um grande sorriso para Hugh, parecendo conhecer tudo sobre interessantes clubes noturnos privativos. Hugh e Caroline pediram licença, se despediram de todos e saíram. Caroline subiu até o quarto para pegar um casaco e deu uma parada diante do espelho para pentear o cabelo. Ao passar, no corredor, pela porta do quarto de Jody, parou. A luz estava apagada e nenhum som vinha lá de dentro. Assim, resolveu não perturbá-lo e desceu as escadas novamente, até onde Hugh estava, à sua espera no saguão. Ele abriu a porta de modo educado para Caroline, e os dois saíram juntos para a escuridão suave e a brisa da noite. Caminharam pela calçada até o local onde o carro estava estacionado. Hugh ligou o motor e eles saíram, contornando a praça e saindo na Rua Kensington High. Caroline notou que no céu havia o contorno tímido de uma lua em quarto crescente, e fiapos de nuvem passeavam diante dela, levados pelo vento. As árvores do parque agitavam seus galhos secos; o brilho alaranjado das luzes da cidade estava refletido no céu. Caroline baixou o vidro da janela do carro e deixou o ar frio soprar sobre seus cabelos. Pensou que em uma noite como aquela seria bom estar no campo, caminhando através de estradas escuras, sem postes de iluminação, com o vento sussurrando entre as árvores e apenas o brilho irregular do luar para mostrar o caminho. Soltou então um profundo suspiro.

— Por que isso agora? — perguntou Hugh.

— "Por que isso"?... Como assim?

— Esse suspiro. Mais parecia um suspiro de tragédia.

— Não é nada.

— Está tudo bem? — perguntou Hugh, após alguns instantes. — Você está preocupada com alguma coisa?

— Não, não é nada. — Não havia, afinal, nada com o que se preocupar. Nada... E tudo. Essa sensação de enjôo o tempo todo era um grande motivo, para começar. Caroline se perguntou por que parecia tão impossível falar com Hugh a respeito disso. Talvez porque ele estivesse assim bem-disposto o tempo todo. Vigoroso, ativo, cheio de energia e, aparentemente, jamais cansado. De qualquer maneira, se já era chato se sentir doente a todo instante, falar sobre isso era mais chato ainda.

O silêncio entre eles aumentou. Finalmente, quando estavam em um cruzamento esperando o sinal abrir, Hugh disse:

— Os Lundstrom são muito agradáveis.

— Sim. Contei ao Senhor Lundstrom tudo a respeito de Angus, e ele me ouviu com atenção.

— E o que mais você esperava que ele fizesse?

— Ora, o que todos sempre fazem. Parecem chocados, horrorizados ou acham graça... Ou mudam de assunto. Diana detesta quando falamos a respeito de

Angus. Acho que é porque essa foi a única derrota da vida dela. — E se corrigiu em seguida. — Essa ainda *é* a única derrota da vida dela.

— Você diz isso só porque ele não aceitou voltar para Londres como todos vocês?

— Sim, não quis entrar em um curso para se tornar um contador público registrado, ou sei lá que outra carreira Diana planejara para ele. Em vez disso, fez exatamente o que tinha vontade de fazer.

— Correndo o risco de parecer que eu estou do lado de Diana nessa história, sou obrigado a dizer que você fez a mesma coisa. Apesar de toda aquela oposição cerrada, você se matriculou na escola de teatro e chegou até mesmo a conseguir um emprego...

— Por seis meses, apenas. Foi só por esse tempo.

— Mas é porque você ficou doente. Teve pneumonia, não foi por culpa sua que você parou.

— Não, sei que não foi. Só que depois eu fiquei boa e, se tivesse tido mais garra, teria voltado e retomado a carreira exatamente do lugar onde parara. Mas não... Acabei me acovardando. Diana sempre disse que eu não tinha força de vontade nem perseverança e, no fim, inevitavelmente, estava certa. A única coisa que ela não disse foi "Eu não falei?..."

— Mas se você ainda estivesse seguindo com a sua carreira no palco... — disse Hugh com delicadeza. — Provavelmente não estaria se casando comigo agora.

Caroline olhou para ele e analisou o seu perfil, estranhamente iluminado pelas luzes das ruas no lado de fora, que entravam pela janela, e pelo brilho verde do painel do carro. Hugh estava com uma aparência sombria e ares de vilão.

— É... Imagino que, se tivesse continuado no teatro, provavelmente não estaria me casando com você...

Só que não era assim tão simples. Os motivos que a estavam levando a se casar com Hugh eram tantos e estavam tão entrelaçados uns com os outros que era difícil separá-los. Gratidão, porém, parecia ser o mais importante deles. Hugh entrara em sua vida quando Caroline tinha acabado de chegar de Aphros com Diana, ainda uma garota magricela, com quinze anos e um pai morto. Naquele momento, muito tristonha, embaraçada e cheia de infelicidade, ao observar Hugh enquanto ele lidava com a imensa bagagem e os passaportes, e cuidava de um Jody cansado que não parava de choramingar, Caroline reconhecera muitas de suas qualidades. Hugh representava exatamente o tipo de relação masculina confiável e segura, da qual ela sempre necessitara, sem nunca ter se dado conta disso. Era agradável ter alguém para resolver tudo em volta e tomar conta de você, e a atitude dele não sendo exatamente paternal, mas parecendo a de um tio atencioso e disponível, e essa maneira de agir perdurara por todos aqueles anos difíceis de crescimento.

Outra força que deveria ser reconhecida era Diana propriamente dita. Desde o começo, ela parecera ter decidido que Hugh e Caroline formavam o casal perfeito. A precisão desse arranjo, tão adequado em todos os sentidos, era um grande apelo para ela. De maneira sutil, pois Diana era inteligente demais para forçar situações, ela os encorajava a ficarem sempre juntos. "Hugh pode levar você até a estação, meu bem! Querida, você vai ficar para jantar em casa hoje à noite? Vou receber convidados, Hugh vai estar aqui e eu queria que você fizesse par com ele, para a mesa ficar completa."

Mas até mesmo essa pressão incansável teria sido totalmente em vão se não fosse pelo caso que Caroline tivera com Drennan Colefield. Depois disso... Depois de amar de forma tão completa como aquela, parecia a Caroline que nada poderia voltar a ser novamente como era. Depois que tudo acabou, e ela conseguiu olhar em volta sem estar com os olhos cheios de lágrimas, viu que Hugh ainda estava ali. Esperando por ela. Não mudara em nada, só que agora queria se casar, e parecia não haver nenhum motivo no mundo para que ela recusasse a proposta.

— Você ficou muito quieta a noite toda — disse ele.

— Ora, e pensei que eu estava falando até demais.

— Você me contaria se algo a estivesse preocupando, não contaria?

— É que as coisas estão acontecendo muito depressa, e ainda falta tanta coisa para fazer. Encontrar com os Lundstrom me fez sentir como se Jody já tivesse ido embora para o Canadá, e é como se eu nunca mais fosse vê-lo novamente.

Hugh ficou em silêncio, pegou um cigarro e o acendeu, usando o isqueiro do carro para isso. Encaixando o isqueiro de volta no painel, disse:

— Eu estou completamente convencido de que você está sofrendo de "depressão feminina pré-nupcial" ou outra coisa qualquer desse tipo, que as revistas femininas explicam.

— E qual é a causa disso?

— Muitas coisas para resolver ao mesmo tempo. Muitos presentes para abrir; muitas cartas de agradecimento para enviar; roupas e adereços para experimentar; cortinas para escolher; os encarregados do bufê e os floristas batendo na porta ao mesmo tempo. Tudo isso já é o suficiente para deixar a mais calma das mulheres completamente louca.

— Então por que você deixou que fôssemos induzidos a realizar um casamento tão grandioso como esse?

— Porque nós dois significamos muito para Diana. Se tivéssemos escapulido até um cartório para casar só no civil, depois fôssemos passar dois dias no balneário de Brighton, aqui perto, e voltássemos correndo, iríamos privá-la de um prazer infinito.

— Mas somos *pessoas*, não cordeiros de sacrifício!

— Vamos, alegre-se — e colocou a mão sobre a dela. — A terça-feira da semana que vem vai chegar logo, e tudo estará encerrado. Estaremos voando para as Bahamas e você vai poder ficar deitada o dia inteiro pegando sol, sem se preocupar em escrever cartas para ninguém e comendo só laranjas, o tempo todo. Que tal lhe parece essa descrição?

— Eu preferia que estivéssemos indo para Aphros — disse ela, sabendo que estava sendo infantil.

— Ah, Caroline!... — Hugh começou a parecer impaciente. — Você sabe que já discutimos essa idéia umas mil vezes...

Ela parou de ouvir a voz dele. Seu pensamento foi carregado de volta a Aphros como um peixe fisgado por um anzol. De repente, recordou-se dos pomares de oliveiras e das árvores centenárias cercadas de flores bem junto do caule, até a altura do joelho, tendo como fundo o azul forte do mar. E os campos cheios de jacintos da cor de uva e ciclamens perfumados, muito claros, em tom rosado. E o som dos pequenos sinos que balançavam nos pescoços das cabras em rebanho, e o cheiro que envolvia as montanhas, vindo da resina que pingava morna dos caules dos pinheiros.

— ... de qualquer modo, já está tudo providenciado.

— Mas será que algum dia vamos poder voltar a Aphros, Hugh?

— Você não escutou uma só palavra do que eu falei, não é?

— Podíamos alugar uma casinha lá, nas férias.

— Não.

— Ou fretar um iate e fazer um cruzeiro.

— Não.

— Por que você não quer ir?

— Porque eu acho que você deve guardar a recordação daquele lugar do jeito que era, não do jeito que ficou agora, estragado pela especulação imobiliária e pelos hotéis, altos como arranha-céus.

— Você não pode saber com certeza que Aphros ficou desse jeito.

— Mas dá para ter uma idéia bem nítida.

— Mas...

— Não — disse Hugh.

Depois de uma pausa, Caroline disse, de forma teimosa:

— Mesmo assim, eu ainda quero voltar lá.

2

O relógio do saguão estava batendo duas horas quando o casal de noivos finalmente chegou em casa, de volta. O carrilhão soava imponente e melodioso no momento em que Hugh enfiou a chave de Caroline na fechadura e empurrou a porta dos fundos para que entrassem. Dentro de casa, a luz do saguão continuava acesa, mas a escadaria se escondia na penumbra. Tudo estava muito quieto, a festa acabara havia algum tempo e todos já tinham ido se deitar.

Caroline se virou para Hugh.

— Boa-noite — disse.

— Boa-noite, querida. — E se beijaram. — Quando é que vou vê-la de novo? Vou estar fora da cidade amanhã à noite. Que tal na terça-feira?

— Apareça para jantar. Eu aviso a Diana.

— Então faça isso, por favor.

Hugh sorriu e saiu. Caroline já começara a empurrar a porta quando se lembrou de dizer "Obrigada pela noite adorável", antes de ouvir o estalo do trinco e se ver sozinha. Ainda esperou um pouco, e ficou ouvindo o som do carro que se distanciava.

Quando o barulho do motor deixou de ser ouvido por completo, virou-se e começou a subir as escadas lentamente, um degrau de cada vez, apoiando-se no corrimão. Ao chegar ao topo das escadas, apagou a luz do saguão e seguiu através do corredor até o quarto. As cortinas estavam fechadas, a cama já estava preparada para recebê-la, com os lençóis elegantemente dobrados para trás e sua camisola colocada ao pé do edredom. Espalhando os sapatos, a bolsa, o casaco e a echarpe em seu caminho através do carpete, Caroline finalmente alcançou a cama e se deixou cair pesadamente sobre ela, na diagonal, sem se importar com nenhum dano que isso pudesse causar ao vestido. Depois de alguns momentos, levantou uma das mãos e começou, lentamente, a soltar das casas os pequeninos botões da vestimenta, puxou o *caftan* por cima da cabeça e a seguir retirou todo o resto das roupas. Colocou a camisola, e ela lhe pareceu fria e leve em contato com a pele. Descalça, foi até o banheiro, lavou o rosto de forma apressada e escovou os dentes. Isso tudo a deixou refrescada. Ainda se sentia cansada, mas seu cérebro estava agitado como um *hamster* dentro da gaiola. Voltando até a penteadeira, pegou a escova de cabelos e a seguir, mudando de idéia, colocou-a de volta sobre o móvel, enquanto abria a gaveta de baixo da penteadeira. Retirou cuidadosamente dali as cartas de Drennan, apertadas em um pacote ainda amarrado com fita vermelha; havia também uma fotografia deles dois, alimentando pombos em Trafalgar Square, no centro de Londres; ali estavam ainda velhos programas de teatro, cardápios de restaurantes onde haviam estado e uma infinidade de pequenos pedaços de papel, diversos e insignificantes, que ela colecionara e guardava como tesouros, simplesmente porque eles eram, agora, a única forma palpável de manter as lembranças do tempo que haviam passado juntos.

"Você estava doente", Hugh dissera há poucas horas, arranjando desculpas para ela. "Você teve pneumonia, não foi culpa sua."

Parecia tão óbvio, tão evidente. No entanto, ninguém na família, nem mesmo Diana, soubera a respeito do seu caso com Drennan Colefield. Mesmo depois que tudo já havia acabado, e Diana e Caroline estavam sozinhas em Antibes, na Riviera Francesa, para onde Diana a levara para convalescer, Caroline jamais contou o que realmente havia acontecido, embora às vezes sentisse falta do conforto oferecido pelos antigos clichês. "O tempo é o melhor remédio." "Toda mulher deve sofrer uma decepção amorosa pelo menos uma vez na vida." "O mar está cheio de peixes que estão apenas esperando por uma isca para serem fisgados."

Meses depois, o nome de Drennan apareceu por acaso em uma conversa durante o café da manhã. Diana estava lendo o jornal, na página de teatro. De repente, levantou a cabeça e perguntou a Caroline, por sobre o reflexo do sol na mesa, acima da geléia e do cheiro de café:

— Não era Dreenan Colefield que estava no Lunnbridge Repertory quando você foi fazer estágio lá, durante o curso de teatro?

— Sim... Por quê? — perguntou Caroline, com muita cautela, colocando a xícara de café sobre o pires.

— Aqui está dizendo que ele vai fazer o papel de Kirby Ashton na versão para o cinema de *Traga Suas Armas*. Deve ser um papel muito importante, pois o livro é famoso, cheio de sexo, violência e mulheres maravilhosas. — Ela olhou para Caroline. — Ele era bom?... Quer dizer, como ator?

— Sim, acho que era.

— Tem uma foto dele aqui, com a mulher. Você sabia que ele se casou com Michelle Tyler? Ele é muito bonito, um pedaço de mau caminho...

E Diana entregou o jornal para Caroline olhar. Lá estava ele, mais magro do que Caroline lembrava, com o cabelo mais comprido, mas o mesmo sorriso, o brilho nos olhos, um cigarro sempre entre os dedos.

"O que é que você vai fazer hoje à noite?", ele perguntara, na primeira vez em que se encontraram. Caroline estivera preparando café na Sala Verde e estava toda coberta de tinta depois de trabalhar na preparação dos cenários, e respondera "Nada". Drennan dissera "Eu também. Vamos fazer nada juntos?" E depois daquela noite o mundo se tornou um lugar inacreditavelmente maravilhoso. Cada folha, cada galho, cada árvore representava de repente um pequeno milagre. Uma criança brincando com uma bola, um velho sentado em um banco do parque, tudo à sua volta estava subitamente cheio de significados ocultos que ela jamais reconhecera antes. A cidadezinha monótona se transformara, as pessoas que moravam nela estavam sempre sorrindo e pareciam mais felizes, o sol dava a impressão de estar sempre forte, mais quente e mais brilhante do que nunca. E tudo isso por causa de Drennan. "É isso que chamam de amor", ele lhe dissera... E lhe mostrara. "É assim que a vida deveria ser, sempre..."

Só que nunca mais tinha sido daquele jeito de novo. Ali sentada diante da penteadeira, lembrando-se de Drennan, ainda apaixonada e sabendo que em uma semana estaria casada com Hugh, Caroline começou a chorar. Não eram soluços fortes ou sons perturbadores, mas simplesmente uma torrente de lágrimas que enchiam seus olhos e escorriam pelo rosto, sem ninguém saber... Sem ninguém ver ou ouvir.

Ela poderia ter ficado ali na mesma posição até o amanhecer, olhando para o próprio reflexo no espelho, embebendo-se de autopiedade e sem chegar a nenhuma conclusão que valesse a pena, se não tivesse sido interrompida por Jody. Ele chegou sem fazer barulho, através do corredor que separava o seu quarto do dela, e bateu suavemente na porta. Então, como não obteve resposta, colocou a mão na maçaneta, empurrando-a, e colocou a cabeça no vão da porta.

— Você está bem? — perguntou.

Sua chegada inesperada foi como uma ducha de água fria. Caroline imediatamente fez um esforço para se recompor, enxugou as lágrimas com as palmas das mãos e pegou um roupão para colocar sobre a camisola.

— Sim... Claro que estou... O que você está fazendo fora da cama a essa hora?

— Estava acordado e ouvi você chegar. Depois escutei passos de um lado para o outro e pensei que talvez você não estivesse se sentindo bem. — Fechou a porta atrás de si e foi até o lugar onde ela estava sentada. Jody usava um pijama azul e estava descalço. Seus cabelos quase ruivos estavam despenteados e formando um penacho engraçado no alto da cabeça.

— Por que é que você estava chorando?

Como era desnecessário dizer "Eu não estava chorando", Caroline disse "Por nada", o que dava no mesmo.

— Você não pode dizer que estava chorando "por nada". Não é possível chorar sem motivo. — Ele chegou mais perto, e seus olhos ficaram no mesmo nível que os dela. — Está com fome?

Caroline sorriu e balançou a cabeça para os lados.

— Pois eu estou. Pensei em descer e procurar alguma coisa para comer.

— Boa idéia, faça isso então.

Mas Jody ficou onde estava, com os olhos observando tudo à sua volta, como se estivesse procurando por pistas de alguma coisa que poderia tê-la deixado infeliz. Acabou vendo a pilha de cartas e a fotografia. Esticou o braço e as pegou.

— Ei, esse é o Drennan Colefield. Eu o vi no filme *Traga Suas Armas*. Tive que assistir acompanhado pela Katy, porque era proibido para crianças muito pequenas. Ele era o Kirby Ashton. Foi superlegal. — Ele olhou para Caroline. — Você o conheceu?

— Sim. Estivemos no Lunnbridge juntos, no curso de teatro.

— Ele está casado agora.

— Eu sei.

— É por causa *disso* que estava chorando?

— Talvez.

— Você o conhecia tão bem assim?

— Ah, Jody, já acabou tudo entre nós, há muito tempo.

— Então, por que ele ainda faz você chorar?

— Estou apenas sendo sentimental.

— Mas você... — Ele gaguejou e evitou usar a palavra "ama". — Você... Vai se casar com o Hugh na semana que vem.

— Eu sei. É isso que quer dizer "ser sentimental". Significa chorar por algo que já acabou, está morto e enterrado. Uma perda de tempo.

Jody ficou olhando para ela atentamente. Depois de alguns instantes, largou a fotografia de Drennan e anunciou:

— Vou lá embaixo pegar um pedaço de bolo. Volto logo. Você quer alguma coisa de lá?

— Não, obrigada. Vá sem fazer barulho. Não acorde Diana.

Ele saiu de mansinho. Caroline colocou as cartas e a fotografia de volta na gaveta, e a fechou por completo. Foi então recolher as roupas que espalhara, pendurou o *caftan*, pôs os sapatos na prateleira própria, dobrou o resto das outras coisas que espalhara e as colocou no encosto da cadeira. No instante em que Jody chegou de volta, trazendo seu pequeno lanche em uma bandeja, ela já escovara os cabelos e estava sentada na cama, esperando por ele. Jody veio se sentar ao seu lado, colocando a bandeja na ponta da mesinha-de-cabeceira.

— Sabe, tive uma idéia — disse ele.

— Uma boa idéia?

— Acho que sim. Veja só, você acha que eu não me importo de ir para o Canadá com Diana e Shaun. Mas eu me importo. Não quero ir, nem um pouco. Preferia fazer qualquer coisa na vida a ir embora com eles.

— Mas, Jody... — Caroline olhou para ele, com algum espanto. — Eu pensei que você quisesse ir. Parecia tão empolgado com a idéia.

— Estava apenas sendo educado.

— Pelo amor de Deus, Jody, você não pode ser "educado" quando se trata de ir morar no Canadá ou ficar aqui.

— Posso, sim. E agora resolvi lhe contar que na verdade eu não quero ir.

— Mas o Canadá vai ser divertido.

— Como é que você sabe que vai ser divertido? Você nunca esteve lá! Além do mais, não quero deixar a escola, meus amigos e o time de futebol.

Caroline estava pasma.

— Mas, Jody... Por que você não me falou isso antes? E por que é que está me falando isso agora?

— Eu não falei *antes* porque você estava sempre muito ocupada, tratando de convites, cartas, bandejas para servir canapês, véus e coisas assim.

— Mas eu jamais estaria ocupada demais para *você*.

— E resolvi contar *agora*... — prosseguiu ele, como se ela não tivesse falado nada. — Porque se eu não contar agora, vai ser tarde demais. Simplesmente não vai dar mais tempo. Então, vai querer ouvir o meu plano ou não?

— Não estou bem certa — disse ela, subitamente apreensiva. — Qual é o seu plano?

— Acho que eu deveria ficar aqui em Londres, em vez de ir para Montreal com eles. Não... não quero dizer morando com você e o Hugh. Queria ficar aqui com Angus.

— Com... *Angus*? — A idéia era quase engraçada. — Angus está do outro lado de Caxemira, Nepal, ou sei lá onde... Mesmo que nós soubéssemos onde encontrá-lo, o que não sabemos, ele jamais voltaria para Londres.

— Ele não está nem em Caxemira nem no Nepal — disse Jody, colocando uma boa garfada de bolo na boca. — Está na *Escócia*.

A irmã olhou para ele fixamente, tentando compreender se ouvira a palavra direito, no meio das migalhas e das frutas cristalizadas do bolo.

— *Escócia*? — perguntou ela, e o menino concordou com a cabeça. — Mas, Jody, por que é que você acha que ele está na *Escócia*?

— Não acho. Eu tenho certeza. Ele me escreveu uma carta. Recebi há mais ou menos três semanas. Ele está trabalhando no Hotel Strathcorrie Arms, na cidade de Strathcorrie, ao norte do condado de Perthshire.

— Ele lhe escreveu uma carta?... E você não me disse nada?

— Achei melhor não contar para ninguém. — O rosto de Jody se fechou.

— Onde está a carta?

— No meu quarto. — E colocou na boca outra gigantesca garfada do bolo.

— Você pode mostrar a carta para mim?

— Posso.

Ele escorregou para fora da cama e desapareceu, retornando logo depois com a carta nas mãos.

— Aqui está! — disse, entregando o envelope a ela enquanto pulava novamente sobre a cama e pegava o copo com leite. O envelope era barato, de cor bege-amarelada, e o endereço escrito à máquina.

— Parece carta anônima — disse Caroline.

— Eu sei. Encontrei esse envelope um dia, quando cheguei da escola. Pensei que era alguém tentando brincar comigo ou me vender alguma coisa. Parece isso, não é? Sabe, igual a quando você escreve pedindo informações sobre algum produto e eles mandam um folheto...

Caroline tirou a carta do envelope, uma folha simples de papel de carta comum, e que obviamente tinha sido muito manuseada e lida repetidas vezes. Parecia que estava para se desfazer a qualquer momento.

Hotel Strathcorrie Arms
Strathcorrie,
Perthshire.

Meu querido Jody

Esta é uma daquelas mensagens que você queima depois de ler, de tão secreta. Portanto, não deixe que Diana coloque os olhos nela, senão minha vida não vai mais valer a pena.

Voltei da Índia há dois meses, com um camarada que encontrei no Irã. Ele já foi embora, mas eu consegui um emprego aqui neste hotel, como servente. Carrego carvão e cuido dos depósitos de lenha do hotel. O lugar vive cheio de gente idosa, que vem até aqui para descansar e pescar. Quando não estão pescando, ficam parados, sentados em poltronas aqui em volta, parecendo que já estão mortos há seis meses.

Estive em Londres por alguns dias, quando meu navio aportou. Gostaria de ter ido até aí para ver você e Caroline, mas fiquei com medo de que Diana conseguisse me encurralar, me laçar com colarinhos engomados e me colocar em sapatos de couro preto, e ainda por cima resolvesse cortar meu cabelo e me arrumar todo, feito um mauricinho. Depois disso era só uma questão de tempo até ela me colocar em um emprego adequado e me empurrar alguma namorada refinada.

Envie todo o meu amor a Caroline. Diga a ela que eu estou bem, livre e feliz. Aviso a vocês quando for para outro lugar.

Muitas saudades,

Angus

— Jody, por que você não me mostrou isso antes?

— Achei que você talvez resolvesse que era seu dever mostrar a carta ao Hugh, e aí ele iria direto contar para Diana.

Ela releu a carta.

— Angus nem sabe que vou me casar.

— Não, acho que não sabe.

— Podemos telefonar para ele.

Jody foi imediatamente contra essa idéia.

— Ele não deu o número do telefone. E, de qualquer modo, é arriscado, alguém poderia ouvir. Além do mais, telefonar não é bom, porque você não pode ver a cara da outra pessoa com quem está falando... E a ligação pode cair... — Jody detestava falar ao telefone, tinha quase medo do aparelho, e Caroline sabia disso.

— Bem... — disse ela. — Nós poderíamos escrever uma carta para ele.

— Mas ele nunca responde às cartas.

Isso era perfeitamente verdadeiro. Caroline estava pouco à vontade com a situação, e sentiu que Jody a estava encaminhando para alguma idéia, que ela não imaginava qual fosse.

— E então?... — perguntou ela.

— Você e eu poderíamos ir até a Escócia esta semana

para encontrá-lo — disse ele, depois de respirar fundo para tomar fôlego. — Poderíamos explicar tudo a ele. Contar o que está acontecendo... — E continuou sem parar para respirar, com a voz um pouco mais alta, como se ela estivesse ligeiramente surda. — Contar para ele que eu não quero ir para o Canadá com Diana e Shaun.

— Sabe o que ele vai dizer quando você contar isso, não sabe? Vai perguntar que diabos isso tem a ver com ele?

— Eu não acho que ele vá dizer isso...

— Certo. — Ela se sentiu envergonhada. — Então, suponha que nós possamos ir até a Escócia para encontrar com Angus. O que é que vamos sugerir a ele?

— Vamos dizer que ele deve voltar para Londres, para cuidar de mim. Que ele não pode fugir das responsabilidades pelo resto da vida. É isso o que Diana vive dizendo. E eu sou uma responsabilidade. É isso que eu sou, uma responsabilidade.

— Mas como é que ele vai poder tomar conta de você?

— Poderíamos ir morar em um pequeno apartamento, e ele poderia conseguir um emprego...

— *Angus?*...

— Por que não? Outras pessoas fazem isso. A única razão pela qual ele é contra tudo isso, o tempo todo, é que não concorda com nada que Diana queira fazer.

Sem conseguir evitar, Caroline teve que sorrir.

— Eu tenho que reconhecer que isso é verdade — disse.

— Mas por *nós* ele viria. Ele diz que sente a nossa falta. Gostaria de ficar conosco.

— E como é que nós poderíamos ir até a Escócia? Como é que poderíamos sair desta casa sem que Diana percebesse a nossa falta? Você sabe que ela iria direto para o telefone, na mesma hora, e ligaria para todos os aeroportos e estações ferroviárias. E nós também não podemos pegar o carro dela emprestado, porque seríamos parados pelo primeiro policial que aparecesse.

— Eu sei de tudo isso — disse Jody. — Já pensei em todas as possibilidades. — Terminou de tomar o leite e chegou mais para perto da irmã. — Bolei um plano!

Apesar do fato de que em mais um ou dois dias o calendário já estaria no mês de abril, em plena primavera, a tarde escura e amarga estava começando a mergulhar na escuridão. Na verdade, pouca luz apareceu, durante todo o dia. Desde cedo, pela manhã, o céu estivera pesado, cheio de nuvens baixas e carregadas, escuras como chumbo, e que transbordavam de vez em quando em episódios de chuva fina e congelante. A paisagem fora da cidade estava igualmente triste e sem vida. A única coisa que podia ser vista ao longe é que os montes estavam escuros, com a última vegetação do inverno ainda marrom. A neve, depositada nos cumes desde a última nevasca, cobria a maioria das terras altas, e escorria em trilhas casuais causadas pela erosão, ou por passagens escavadas onde o sol não penetrava, como se fossem estrias de um glacê de açúcar mal-aplicado.

Entre os montes, vales estreitos se recortavam, assumindo sua forma a partir das curvas e meneios do rio, e abaixo deste o vento soprava, vindo diretamente do norte, possivelmente do Ártico. Era um vento forte, gelado e impiedoso, que fustigava os galhos sem folhagem das árvores, arrancava velhas folhas secas das valas feitas pela chuva e as fazia voar, enlouquecidas, pelo ar taciturno. Um vento que fazia um som estranho ao passar por entre os pinheiros altos e parecia um trovejar distante das ondas do mar.

O cemitério que ficava ao lado da igreja estava exposto ao tempo, sem abrigo, e os grupos de pessoas, todas vestidas de preto, se curvavam para se proteger da ventania. A sobrepeliz branca engomada que cobria a batina do celebrante se agitava e se enfunava ao vento, como se fosse a vela mal-ajustada de uma embarcação. Oliver Cairney, com a cabeça descoberta, sentia que as bochechas e orelhas não lhe pertenciam mais, de tanto frio, e pensou que estaria mais confortável se tivesse colocado um sobretudo por cima do casaco.

Sentiu que sua mente estava em um estado curioso, em parte enevoada, em parte transparente como um cristal. O ritual da cerimônia, que provavelmente havia sido muito bonito e comovente, ele mal conseguira escutar. No entanto, sua atenção foi atraída pelas pétalas amarelas e brilhantes de um imenso ramo de narcisos, flamejando no ar do dia sombrio como uma vela acesa em um quarto escuro. E embora as pessoas que estavam acompanhando o enterro e se mantinham enfileiradas à sua volta, dentro do seu campo de visão, fossem, em sua maioria, anônimas como sombras, um ou dois rostos captaram sua atenção. Cooper era um deles, o velho caseiro, vestindo o seu melhor terno de *tweed* e uma gravata tricotada preta. E havia também a silhueta corpulenta e reconfortante de Duncan Fraser, dono da propriedade vizinha a Cairney. E havia a jovem, uma estranha, incompatível com essa reunião familiar. Tinha pele morena, era muito esbelta e estava muito bronzeada, com um chapéu de peles todo preto, enterrado sobre as orelhas, o rosto quase totalmente oculto por um imenso par de óculos escuros. Muito glamourosa. Inquietante. Quem seria ela? Uma amiga de Charles? Não parecia provável...

Ele se viu perdido em especulações sem valor. Arrastou seus pensamentos para longe delas e tentou mais uma vez se concentrar no que estava acontecendo. O vento maligno, porém, como se estivesse a serviço do demônio pessoal de Oliver, fez levantar com um rugido repentino um punhado de folhas mortas do chão a seus pés e as carregou, fazendo-as voar descontroladas. Perturbado, ele virou a cabeça e se viu olhando direto para o rosto da jovem desconhecida. Ela tirara os óculos do rosto, e ele notou com assombro que era Liz Fraser. Liz, incrivelmente elegante, de pé ao lado do pai. Por um instante, seus olhares se encontraram, e então ele desviou o rosto, com os pensamentos em turbilhão. Liz, a quem ele não via há dois anos, ou possivelmente mais do que isso. Liz, adulta agora e, por algum motivo, visitando o pai em Rossie Hill. Liz, a quem o seu irmão adorara tanto. E em meio a seus pensamentos turvos, ele encontrou um espaço para se sentir grato pela vinda dela hoje ao enterro. Um gesto que teria grande significado para Charles.

E então, afinal, a cerimônia acabou. As pessoas começaram a se movimentar, agradecidas, para longe do vento frio, virando as costas para a nova sepultura e as pilhas de flores de primavera que tremulavam sobre ela. Caminhavam em grupos de dois ou três para fora do cemitério, como se levadas pelo vendaval e arrastadas através do portão como poeira varrida à frente de uma vassoura implacável.

Oliver se viu lá fora, na calçada, apertando mãos e emitindo sons apropriados.

— Muito obrigado por ter vindo... Sim, foi uma tragédia...

Velhos amigos, pessoas do vilarejo, fazendeiros do outro lado de Relkirk, muitos dos quais Oliver jamais vira antes. Amigos de Charles, em sua maioria, que se apresentavam.

— Muito gentil, você ter vindo de tão longe. Se tiver tempo antes de voltar para casa, dê uma passada em Cairney. A Senhora Cooper está com uma grande mesa de chá preparada...

Agora, apenas Duncan Fraser esperava para falar com ele. Duncan, grande, sólido, todo abotoado em seu sobretudo preto e com um cachecol de lã, o cabelo grisalho levantado como uma crista. Oliver procurou por Liz.

— Ela foi embora — disse Duncan. — Voltou para casa sozinha. Não é muito boa nesse tipo de coisa.

— Que pena! Mas eu faço questão de que você venha até Cairney, Duncan. Agora vamos tomar alguma coisa para aquecer.

— Claro! Vou aparecer.

O reverendo se materializou a seu lado.

— Não vou poder ir até Cairney, Oliver, mas obrigado assim mesmo. Minha mulher está de cama. Uma gripe, eu acho. — E se cumprimentaram em silêncio, representando agradecimento por parte de um e condolências por parte do outro. — Me diga o que você está planejando fazer agora.

— Eu poderia contar em detalhes neste instante, só que ia levar muito tempo.

— Outra hora, então. Não faltará oportunidade.

O vento inflou sua batina. As mãos, segurando o livro de orações, estavam inchadas e vermelhas de frio. Pareciam gordas salsichas, pensou Oliver. O reverendo virou-se e se afastou do rapaz, subindo pelo caminho que ia dar na igreja, entre as sepulturas inclinadas, com a sobrepeliz drapejando através do ar cinzento. Oliver o acompanhou com o olhar até que ele alcançou a igreja e fechou a pesada porta atrás de si. Foi então caminhando devagar pela calçada abaixo, até onde seu carro esperava estacionado, solitário. Agora que a provação dos funerais terminara, começava a parecer possível aceitar a idéia de que Charles estava morto. Uma vez que ele aceitasse isso, talvez as coisas começassem a se tornar um pouco mais fáceis. Oliver já se sentia assim. Não estava mais feliz, certamente. Parecia, no entanto, mais calmo, capaz de se sentir satisfeito pelo fato de que tantas pessoas tivessem vindo para o enterro; e feliz, especialmente por Liz ter estado ali.

Depois de alguns instantes, enfiou a mão meio sem jeito no bolso do casaco, encontrou um maço de cigarros, pegou um deles e o acendeu. Olhou para a rua vazia e disse para si mesmo que já estava na hora de voltar para casa. Ainda havia as últimas obrigações sociais, que precisavam ser cumpridas. As pessoas estariam esperando por ele lá. Girou a chave na ignição, ligou o motor e colocou o carro em movimento, saindo em direção à rua e triturando a água que congelara junto à sarjeta com as pesadas bandas de rodagem dos pneus para neve.

Por volta das cinco horas, o último visitante já havia ido embora. Ou, pelo menos, o penúltimo. O velho automóvel Bentley de Duncan ainda estava parado na porta da frente, mas Duncan não podia ser qualificado propriamente como visita.

Oliver, após ver o último carro sair, voltou para dentro de casa e fechou as pesadas portas da frente com um forte empurrão. Voltou então à biblioteca, para o conforto da lareira crepitante. Ao fazer isso, Lisa, a cadela da raça labrador, levantou-se com interesse e atravessou o aposento, indo até a porta, onde ficou ao lado de Oliver. Então, compreendendo que a pessoa a quem estava esperando ainda não chegara, voltou lentamente para o tapete central, onde se acomodou novamente. Ela era, ou tinha sido, a companhia canina de Charles, e, de certa forma, o seu ar de perda e abandono era o mais difícil de suportar.

Oliver notou que Duncan, que ficara sozinho no aposento, tinha levado uma cadeira até perto da lareira e parecia mais à vontade. Seu rosto estava vermelho, talvez devido ao calor do fogo ou, o que era mais provável, por causa do aquecimento central ativado pelas duas doses grandes de uísque que já tomara.

A biblioteca, desarrumada como sempre, apresentava por toda parte restos do excelente chá da Senhora Cooper. Migalhas do bolo de frutas estavam espalhadas, sujando toda a toalha branca feita de tecido de linho adamascado, na mesa que fora levada para um dos cantos do aposento. Xícaras vazias estavam também por toda parte, misturadas com copos que continham restos de algo um pouco mais forte do que chá.

Assim que Oliver apareceu, Duncan olhou para ele e sorriu, esticando as duas pernas e dizendo com uma voz ainda cheia de sotaque da sua Glasgow natal:

— Acho melhor ir andando. — Ficou parado, entretanto, sem esboçar nenhum movimento para se levantar.

Oliver, parando ao lado da mesa para se servir de um pedaço de bolo, pediu:

— Fique mais um pouco, Duncan, por favor. — Ele não queria ficar sozinho. — Quero ouvir tudo a respeito de Liz. Pegue mais uma dose.

Duncan Fraser olhou para o fundo do seu copo vazio, como se analisando o oferecimento de mais bebida.

— Bem... — disse ele afinal, esticando o copo para Oliver encher, como de fato ele sabia que aconteceria. — Talvez apenas mais uma dose, bem pequena. Mas... E você?... Ainda não bebeu nada. Poderia tomar alguma coisa para me fazer companhia.

— Sim, vou tomar agora. — Levou o copo até a mesa, encontrou um outro limpo, serviu o uísque e adicionou uma quantidade muito pequena de água, retirada de uma jarra. — Não reconheci Liz, sabia? Fiquei ali, sem conseguir imaginar quem poderia ser. — E levou o copo de Duncan reabastecido e o seu, cheio, até a lareira.

— É verdade... Ela mudou muito.

— Está com você há muito tempo?

— Chegou há uns dois dias. Estava nas Antilhas com uma das amigas. Fui até o aeroporto em Prestwick, para recebê-la. Não estava planejando ir até lá, mas...

Achei que seria melhor contar a ela pessoalmente, logo na chegada, a respeito de Charles. — E armou um sorriso inacabado. — Sabe, meu caro, as mulheres formam um grupo muito engraçado. É difícil saber o que estão pensando. Às vezes, reprimem e escondem os sentimentos, parecem até mesmo temerosas de demonstrá-los.

— Mas ela veio hoje, para o funeral.

— Ah, sim. Estava lá. Mas, pode acreditar, esta é a primeira vez que Liz pareceu encarar de frente o fato de que morrer é uma coisa que acontece com pessoas que conhecemos de verdade, e não apenas com nomes em jornais, em colunas de avisos funerários. Os amigos morrem. Os amantes morrem. Ela talvez apareça aqui para ver você amanhã... Ou depois de amanhã... Não dá para afirmar ao certo.

— Liz foi a única mulher por quem Charles realmente se interessou na vida. Você sabe disso, não é, Duncan?

— Sim, sei. Desde quando ainda era uma menininha...

— Acho que meu irmão estava apenas esperando que ela crescesse.

Duncan não ofereceu nenhuma resposta a isso. Oliver encontrou um cigarro e o acendeu. Depois, deixou-se sentar na beirada da poltrona que ficava do lado oposto à de Duncan, em frente à lareira. O visitante olhou para ele e perguntou:

— O que é que você vai fazer agora com esta propriedade? O que vai acontecer com Cairney?

— Vou vendê-la — respondeu Oliver.

— Assim, simplesmente?...

— É, simplesmente. Não tenho alternativa.

— É uma pena se desfazer de um lugar como este.

— Concordo com você, mas eu não moro aqui. Minha vida, meu trabalho e as minhas raízes estão em Londres. Além do mais, nunca fui talhado para ser um latifundiário escocês. Charles é quem possuía esse perfil.

— Mas Cairney não significa nada para você?

— Claro que sim. Significa muito. É a casa onde fui criado.

— Você sempre foi um sujeito do tipo que não se preocupa demais com as coisas, sempre teve uma cabeça boa. O que é que você faz em Londres? Eu jamais consegui suportar aquele lugar.

— Pois eu adoro Londres.

— Está conseguindo ganhar algum dinheiro lá?

— Bastante. O suficiente para um apartamento decente e um bom carro.

— E quanto à sua vida amorosa? — Os olhos de Duncan se estreitaram.

Se outra pessoa tivesse feito essa pergunta a Oliver, ele teria se ofendido, ou ficaria agressivo, pela intolerável interferência. Mas isso era diferente. *Seu velho manhoso*, pensou Oliver, e respondeu:

— Satisfatória.

— Já posso imaginar você em Londres, circulando com um monte de mulheres maravilhosas.

— Pelo seu tom de voz, não consigo descobrir se você desaprova isso ou está apenas com inveja...

— Eu nunca poderia imaginar — disse Duncan, secamente — que Charles iria conseguir um irmão mais novo assim como você. Alguma vez já pensou em se casar?

— Não pretendo me casar até ficar velho demais para fazer qualquer outra coisa.

— Ah, ah... — Duncan deu uma risada ofegante. — Essa resposta me coloca no devido lugar. Mas voltemos a falar de Cairney. Se pretende realmente se desfazer dela, você a venderia para mim?

— Preferiria vendê-la a você em vez de a qualquer outra pessoa. Você sabe muito bem disso.

— É que eu poderia juntar a sua fazenda com a minha, e também aquela parte com as terras não cultivadas... E ainda o lago. Mesmo assim, restaria a casa principal, esta aqui. Você poderia vendê-la em separado. Afinal, não é grande demais, nem muito longe da estrada, e o jardim é perfeitamente administrável.

Era reconfortante para Oliver ouvi-lo falar dessa maneira, analisando as decisões emocionais sob uma perspectiva prática, e usando uma linguagem direta. Isso fazia com que seus problemas parecessem menores. Essa era a maneira de Duncan Fraser trabalhar. Foi assim que ele enriquecera, em uma idade relativamente nova. Conseguiu vender o seu negócio em Londres por uma soma astronômica e passou a fazer o que sempre quis, ou seja, voltar para a Escócia, comprar algumas terras e se estabelecer ali, levando a agradável vida de proprietário rural.

Entretanto, a realização dessa ambição teve seu aspecto irônico, porque a mulher de Duncan, Elaine, jamais pareceu muito animada em abandonar a parte sul da Grã-Bretanha, onde nascera, para criar raízes no interior, e logo se mostrou entediada com o ritmo lento da vida em Rossie Hill. Sentia falta dos amigos, e o clima sempre a deixava deprimida. Os invernos, costumava reclamar, eram longos, frios e secos. Os verões eram curtos, frios e úmidos. Não é de surpreender que suas viagens aéreas para Londres tenham se tornado cada vez mais freqüentes e com um tempo de duração cada vez maior, até o dia inevitável em que decidiu não voltar mais e o casamento terminar.

Se Duncan sofreu com a decisão da mulher, conseguiu esconder esse sentimento muito bem. Gostava de ter Liz apenas para si, mas quando ela ia visitar a mãe, jamais se sentia solitário, pois seus interesses na região eram inúmeros. Assim que se instalara em Rossie Hill, a comunidade local se mostrara cética a respeito de sua capacidade para trabalhar como fazendeiro. Duncan, porém, provara que era competente nisso, e agora era muito bem aceito, se tornara membro do clube em Relkirk, e tinha sido até mesmo nomeado juiz de paz. Oliver gostava muito dele.

— Duncan, você faz tudo parecer tão sensato e fácil, não é como se fosse a venda do velho lar de uma família e tudo o mais.

— Bem, pois é assim que as coisas são. — E acabou de tomar o seu drinque com um simples e enorme gole, colocando o copo sobre a mesinha ao lado da cadeira e se pondo subitamente de pé. — De qualquer forma, pense a respeito. Por quanto tempo você ainda vai ficar por aqui?

— Consegui uma licença de duas semanas no trabalho.

— Que tal nos encontrarmos na quarta-feira, em Relkirk? Poderíamos almoçar juntos e conversar com os advogados. Ou será que eu estou forçando a situação, tentando apressar a compra da propriedade?

— De modo algum. Quanto mais cedo resolvermos o assunto, melhor.

— Sendo assim, vou indo para casa.

Ele seguiu em direção à porta e imediatamente Lisa se levantou e, a distância, os acompanhou até o saguão, que estava gélido. Suas patas arranhavam o piso taqueado e encerado.

Duncan olhou para ela por trás dos ombros e disse:

— É uma coisa muito triste ver um cão sem dono.

— É o pior de tudo.

Lisa observou enquanto Oliver ajudava Duncan a colocar o casaco e depois acompanhou os dois até o lado de fora, onde o velho Bentley preto esperava. A noite estava, se é que era possível, mais fria do que nunca, a escuridão era total e o vento, fustigante. A pista de entrada para a casa estava cheia de poças, e o gelo fazia barulho quebrando sob os sapatos.

— Ainda vamos ter mais neve pela frente — disse Duncan.

— Parece que sim.

— Quer que eu leve algum recado para Liz?

— Diga a ela para aparecer por aqui. Peça para ela vir me visitar quando quiser.

— Farei isso. Nós nos vemos na quarta-feira, então, no clube. Meio-dia e meia.

— Estarei lá. — Oliver bateu a porta do carro. — Dirija com cuidado.

Depois que o carro saiu, Oliver voltou para dentro de casa com Lisa nos calcanhares e fechou a porta. Ficou ali de pé por um momento, com a atenção voltada para a extraordinária sensação de vazio que havia na casa. Essa sensação já o atingira antes. Isso vinha acontecendo a intervalos regulares, desde que chegara de Londres, há dois dias. Ficou imaginando se poderia vir a se acostumar com isso.

O saguão estava frio e quieto. Lisa, preocupada com o fato de Oliver estar completamente imóvel, empurrou o focinho por dentro da sua mão, e ele se curvou para acariciar a cabeça dela, balançando-lhe as orelhas macias por entre os dedos. O vento continuava açoitando as janelas, e uma corrente fria pegou a cortina que estava pendurada em uma janela entreaberta de frente para a porta principal e a fez aumentar de tamanho como uma onda que se encapela, transformando-a em uma bandeira de veludo em redemoinho. Oliver sentiu um calafrio e resolveu voltar para a biblioteca, enfiando a cabeça no lado de dentro da cozinha, no meio do caminho. Foi quando encontrou a Senhora Cooper, que vinha saindo com a sua bandeja, também indo de volta à biblioteca. Juntos, empilharam xícaras e pires, amontoaram copos e limparam a mesa. A Senhora Cooper dobrou a toalha engomada e Oliver a ajudou a carregar a mesa de volta até o meio do aposento. Depois, seguiu-a de volta até a cozinha e segurou a porta aberta, ficando de lado para que ela pudesse passar com a bandeja carregada. Entrou na cozinha logo atrás, carregando o bule de chá vazio em uma das mãos e a garrafa de uísque, também quase vazia, na outra.

Ela começou imediatamente a lavar a louça.

— A senhora deve estar muito cansada — disse. — Deixe a louça para lavar amanhã.

— Ah, não, não posso fazer isso... — E se manteve com as costas voltadas para Oliver. — Nunca na vida deixei uma única xícara suja para lavar na manhã seguinte.

— Então vá para sua casa assim que acabar de limpar a cozinha.

— E o seu jantar?

— Estou cheio de bolo de frutas. Não vou querer jantar.

As costas da Senhora Cooper se mantinham firmes e ela estava rígida, como se fosse impossível demonstrar toda a sua dor. Ela tinha adoração por Charles. Oliver disse:

— O bolo de frutas estava muito gostoso... — E depois completou a frase: — Muito obrigado por tudo.

A Senhora Cooper não se virou. Após alguns instantes, quando ficou claro que ela não tinha intenção de se virar nem de olhar para Oliver, este saiu da cozinha e voltou à biblioteca, deixando-a sozinha.

3

Nos fundos da casa de Diana Carpenter, no bairro de Milton Gardens, existia um jardim estreito e comprido que ia até um lugar pavimentado com paralelepípedos, e onde havia uma série de pequenos apartamentos que tinham sido construídos sobre antigas estrebarias, e agora modernizados. Entre o jardim e essa área nos fundos da casa havia um muro alto com um portão, que dava para o que tinha sido no passado uma espaçosa garagem dupla. Quando Diana voltou para Londres, vinda de Aphros, decidiu que seria um investimento muito lucrativo transformar a garagem e todos os aposentos acima dela em um lugar habitável, e assim construiu um apartamento ali, pensando em alugá-lo. Essa atividade a distraiu por mais de um ano, e quando a obra acabou, com todos os cômodos mobiliados e totalmente decorados, ela de fato o alugou, por um valor exorbitante, a um diplomata americano designado para trabalhar em Londres por dois anos. Aquele era um inquilino perfeito, mas depois que voltou para Washington, deixando o imóvel vago, e Diana começou a procurar um novo interessado para alugar o apartamento, não foi assim tão feliz como da primeira vez.

Então, surgindo do passado, apareceu Caleb Ash, com a namorada Íris, dois violões, um gato siamês e nenhum lugar para morar.

— E quem é esse... — Shaun quis saber — Caleb Ash?

— Era um amigo de Gerald Cliburn, em Aphros. Uma daquelas pessoas que estão sempre prestes a fazer alguma coisa, tipo escrever um romance, pintar um mural, começar um novo negócio ou construir uma pousada... acabam não realizando nada. Enfim, Caleb é o homem mais preguiçoso do mundo.

— E a Senhora Ash?...

— Íris. E eles não são casados.

— Você não os quer morando no apartamento que está para alugar lá nos fundos?

— Não.

— Por quê?

— Porque acho que eles poderão ser uma má influência para Jody.

— Jody vai conseguir se lembrar deles?

— Claro que vai! Estavam sempre entrando e saindo de nossa casa em Aphros, o tempo todo.

— Mas você não gostava dele?...

— Eu não disse isso, Shaun. É impossível não gostar de Caleb Ash, ele tem todo o charme do mundo. Só que eu não sei... Ele e a namorada morando nos fundos do jardim, aqui atrás...

— E os dois têm condições para pagar o aluguel?

— Diz ele que sim.

— E você por acaso está achando que eles vão acabar transformando o lugar num chiqueiro?

— De jeito nenhum. Íris é muito caprichosa com a casa. Está sempre encerando o piso, polindo tudo, preparando cozidos e sopas suculentas em grandes panelas de cobre.

— Você está me deixando com água na boca. Deixe-os ficar lá. Já que são amigos dos velhos tempos, você não devia cortar todos os seus laços com o passado, e também não vejo de que modo a presença deles possa ser maléfica para Jody.

E foi então que Caleb, Íris, o gato, os violões e as panelas de cobre se mudaram para o "chalé do estábulo". Diana lhes cedeu um pedaço de terreno para construírem um jardim, e Caleb colocou ladrilhos em volta, plantou camélias em vasos, e assim, do nada, conseguiu criar um nostálgico ambiente mediterrâneo que parecia um pedaço da Grécia transplantado para Londres.

Jody, como era de se esperar, adorava Caleb, mas desde o princípio fora orientado por Diana a visitar os novos inquilinos apenas quando fosse convidado, para não acabar se transformando em um transtorno para eles. Katy foi frontalmente contra a presença de Caleb desde o início, especialmente depois que, por meio da rede local de fofocas, descobriu que Caleb e Íris não eram casados nem pretendiam se casar.

— Jody, você não vai novamente até o jardim dos fundos para visitar aquele Senhor Ash, não é?

— Mas ele me convidou, Katy; Sukey, a gata, teve filhotes.

— Humm... Vamos ter mais daqueles bichos siameses?

— Bem, na verdade eles não são siameses puros. A mãe teve um caso com um gato malhado que mora no número oito da rua de trás, e tiveram filhotes que são assim, do tipo mestiços. Caleb diz que os bichinhos vão ficar todos malhados também, assim como o pai.

Katy voltou a mexer com a chaleira, ainda com mais energia. Estava muito aborrecida.

— Bem... — disse. — Não sei o que dizer diante disso... É o fim!

— Pensei em ficar com um dos filhotes.

— Não quero nenhuma daquelas coisinhas horríveis miando por aqui. De qualquer modo, a Senhora Carpenter não quer animais aqui pela casa. Você já ouviu muitas vezes ela dizer: "Sem animais!..." E um gato está na categoria de "animais", então está resolvido.

Na manhã seguinte à noite do jantar que fora oferecido aos Haldane, Caroline e Jody Cliburn apareceram na porta do jardim nos fundos da casa e caminharam, pelo caminho enfeitado, até o "chalé do estábulo". Não estavam pretendendo se esconder. Diana tinha saído e Katy estava trabalhando na cozinha, que dava para a rua da frente, preparando o almoço. Além disso, eles sabiam com absoluta certeza que Caleb estava em casa, pois tinham telefonado para perguntar se poderiam aparecer em sua casa, e ele dissera que ficaria esperando por eles.

A manhã estava fria e ventava muito, mas o céu estava limpo, com um tom de azul forte que se refletia nas poças formadas entre os paralelepípedos molhados do piso. O sol estava ofuscante. Tinha sido um longo inverno. Agora, apenas as pontas dos primeiros brotos de flores apareciam timidamente, nos canteiros com terra preta. Tudo o mais estava marrom, seco, atrofiado e aparentemente morto.

— No ano passado, por essa época — disse Caroline —, o açafrão já tinha brotado por todo o jardim.

O pequeno jardim de Caleb, no entanto, era mais protegido e ensolarado. Por isso, já havia ali narcisos surgindo em pequenas gamelas pintadas de verde, e algumas anêmonas brancas se apertavam em torno da base da amendoeira de tronco escuro que ficava no meio do pátio.

Era possível ter acesso ao apartamento através de uma escada externa que levava até um terraço largo, parecido com o balcão de um chalé suíço. Caleb ouvira o som das vozes que se aproximavam e, quando eles chegaram ao topo da escada, já estava ali para recebê-los, com as mãos no parapeito de madeira e parecendo mais o capitão de alguma pequena embarcação grega que vinha dar as boas-vindas e receber os convidados a bordo.

De fato, ele vivera por tantos anos em Aphros que suas feições adquiriram características fortemente gregas, assim como as pessoas que estão casadas há muitos anos e acabam se parecendo. Seus olhos eram tão profundos que era quase impossível identificar-lhes a cor. Seu rosto era acobreado e cheio de marcas. O nariz era uma proa que se projetava, e o cabelo, grosso, grisalho e cacheado. Seu tom de voz era grave, forte e sempre fazia Caroline se lembrar do vinho grego rascante, do pão recém-saído do forno e do cheiro de alho misturado na salada.

— Jody! Caroline! — E os abraçou, cada um com um braço, beijando-os a seguir, com uma falta de cerimônia maravilhosamente grega. Ninguém jamais beijava Jody, exceto, às vezes, Caroline. Diana, com a sua usual percepção tão apurada, notou o quanto ele detestava beijos. Mas com Caleb era diferente, uma respeitosa demonstração de afeto, de homem para homem. — Que surpresa agradável, meus amigos! Vamos, entrem. Estou preparando café.

Na época em que o diplomata americano morara ali, o apartamento adquirira um ar de ordem, exibindo uma elegância fria e educada, típicas da Nova Inglaterra. Agora, sob a influência inconfundível de Íris, tudo estava muito mais descontraído, mais cheio de cor e de vida. Telas sem moldura enchiam as paredes, um móbile feito com pedaços de vidro colorido pendia do teto, um imenso xale grego fora jogado sobre os sofás de chintz cuidadosamente escolhidos por Diana. A sala estava muito acolhedora e cheirava a café.

— Onde está Íris?

— Saiu para fazer compras. — Empurrou uma cadeira. — Sentem-se. Vou pegar o café para nós.

Caroline se sentou. Jody seguiu Caleb e pouco depois voltaram, o menino carregando uma bandeja com três canecas e mais o açucareiro, e Caleb empunhando o bule fumegante. Arrumaram lugar para tudo na mesinha baixa em frente à lareira e se acomodaram ao redor dela.

— Vocês não estão em alguma encrenca, estão? — perguntou Caleb com cautela, pois vivia com medo de despertar a antipatia de Diana.

— Ah, não! — disse Caroline de modo espontâneo. A seguir, pensando melhor, corrigiu-se. — Pelo menos, não exatamente.

— Conte-me tudo!

E Caroline contou. Falou sobre a carta de Angus e também a respeito de Jody não querer ir para o Canadá. Finalmente, relatou as idéias que o menino tivera para encontrar o irmão novamente.

— Assim, nós resolvemos ir até a Escócia. Amanhã, terça-feira.

— E vocês vão contar isso para Diana?

— Se contarmos, ela vai nos dizer para não fazermos a viagem. Você sabe que ela faria isso. De qualquer forma, vamos deixar-lhe uma carta.

— E Hugh?

— Hugh também seria contra, se descobrisse.

— Caroline... — Caleb franziu as sobrancelhas. — Você está para se casar com esse rapaz, e daqui a uma semana.

— Mas *eu vou* me casar com ele.

— Humm... — fez Caleb, pensativo, como se não acreditasse nela. Olhou para Jody, que estava sentado ao lado dele. — E você? Como é que vai ser? E a escola?

— As aulas acabaram na sexta-feira. Já estou de férias.

— Humm... — fez Caleb, de novo. Caroline começou a ficar apreensiva.

— Caleb, não ouse dizer que você também não aprova.

— Mas é claro que não aprovo. É uma idéia completamente insana e absurda. Se vocês estão querendo conversar com Angus, por que não telefonam para ele?

— Jody não quer fazer isso. É muito complicado tentar explicar uma situação como essa pelo telefone.

— E, de qualquer modo... — completou Jody —, você não consegue *convencer* ninguém pelo telefone.

— Quer dizer que você acha que vai precisar convencê-lo? — Caleb deu um sorriso meio torto. — Nisso, eu concordo com vocês. Afinal, Angus vai se ver obrigado a vir para Londres, procurar um lugar para morar, modificar todo o seu estilo de vida...

— Por isso é que não dá para telefonar! — disse Jody, de forma teimosa e ignorando as observações de Caleb.

— E imagino que enviar uma carta levaria muito tempo.

Jody concordou.

— Telegrama?

Jody balançou a cabeça para os lados.

— Bem, parece que vocês já pensaram em todas as alternativas possíveis. O que nos leva à questão seguinte. Como é que pretendem chegar na Escócia?

Caroline tomou a palavra, de uma forma que ela tentava fazer com que parecesse decidida e vitoriosa.

— Esta é uma das razões, Caleb, de nós querermos conversar com você. Veja só, temos que ir de carro, e não podemos levar o de Diana. Mas se nós pudéssemos usar o seu pequeno automóvel, o Mini, se você não for usá-lo por esses dias... Você e Íris... Quer dizer, vocês não o utilizam muito, mesmo, e nós vamos tomar todo o cuidado com ele...

— O *meu* carro? E o que é que eu vou responder quando Diana vier ventando pelo jardim até aqui atrás, com uma fileira interminável de perguntas embaraçosas?

— Você pode dizer que o carro está na oficina. É só uma mentira bem pequena.

— É muito mais do que uma mentira pequena, isso é desafiar a Divina Providência. Jamais fiz uma revisão naquele carro, desde que o comprei, há sete anos. Suponha que ele enguice no caminho?...

— Estamos dispostos a correr o risco.

— E dinheiro para a viagem?

— Temos o suficiente.

— E quando é que pretendem voltar?

— Na quinta ou sexta-feira. Trazendo o Angus.

— Vocês estão muito confiantes. E se ele não quiser vir?

— Vamos resolver como conseguiremos atravessar essa ponte quando chegarmos diante dela.

Caleb se levantou, inquieto e indeciso. Foi até a janela para ver se Íris estava chegando, para ajudá-lo a se desembaraçar daquele dilema terrível, mas não havia nenhum sinal dela. Repetiu para si mesmo que estes eram os filhos do seu melhor amigo. Por fim, soltou um suspiro.

— Se eu concordar em ajudá-los e se eu acabar emprestando o carro, é só porque acho que já está mais do que na hora de Angus assumir algumas responsabilidades na vida. Acho que ele deveria mesmo voltar. — E se virou para olhar para eles. — Mas vou precisar saber para onde vocês estão indo. O endereço, por quanto tempo vocês vão ficar, e tudo o mais.

— É o Hotel Strathcorrie Arms, que fica no centro de Strathcorrie. E se não voltarmos até sexta-feira, pode contar a Diana para onde fomos. Mas não conte antes disso.

— Certo! — Caleb balançou a grande cabeça, num

gesto que parecia que estava prestes a colocá-la em um laço. — Combinado!

E escreveram um telegrama para Angus.

ESTAREMOS EM STRATHCORRIE NA TERÇA-FEIRA À NOITE PARA DISCUTIR PLANOS IMPORTANTES COM VOCÊ.

TODO O NOSSO AMOR,

JODY E CAROLINE.

Feito isso, Jody escreveu uma carta que seria deixada para Diana.

Cara Diana

Recebi uma carta de Angus, e ele está na Escócia. Assim, Caroline e eu fomos até lá para procurar por ele. Tentaremos estar de volta na sexta-feira.

Por favor, não se preocupe.

A carta para Hugh, porém, não foi assim tão fácil, e Caroline lutou, tentando escrevê-la por mais de uma hora.

Querido Hugh

Como Diana já deve ter contado, Jody recebeu uma carta de Angus. Ele voltou da Índia por mar e está agora trabalhando na Escócia. Tanto Jody quanto eu achamos que é importante vê-lo antes de Jody ir para o Canadá, e assim, no momento em que você receber esta carta, já estaremos rumo à Escócia. Esperamos voltar a Londres na sexta-feira.

Eu teria conversado isso com você, mas você se sentiria no dever de contar a Diana, ela nos convenceria a não irmos e jamais conseguiríamos vê-lo. E é muito importante para nós que ele saiba o que está para acontecer.

Sei que é terrível fazer isso, sair assim a uma semana do nosso casamento, e sem avisar. Porém, se tudo correr bem, estaremos em casa na sexta-feira.

Amor,

Caroline.

Na terça-feira de manhã, a primeira nevasca caíra, rápida, para depois parar, deixando o chão todo cinza e pontilhado de branco, como as penas de uma galinha-d'angola. O vento, entretanto, não cessara nem por um momento, e o frio ainda era intenso. O pior é que, pela aparência do céu baixo, na cor cáqui, o tempo ainda ia piorar.

Oliver Cairney deu uma olhada lá fora e decidiu que era um bom dia para ficar dentro de casa, para tentar organizar alguns dos assuntos de Charles. Isso acabou sendo um trabalho comovente. Charles era muito eficiente, cuidadoso e detalhista, e deixara ordenadamente arquivados todos os contratos e documentos que tinham relação com o trabalho na fazenda. Preparar os papéis da propriedade para a venda iria ser mais simples do que Oliver imaginara.

Mas ali havia outras coisas também. Coisas pessoais.

Cartas e convites, um passaporte fora de validade, contas de hotel pagas, fotografias, o livro de endereços de Charles, o seu diário, a caneta de prata que ele ganhara ao fazer vinte e um anos, e uma conta do alfaiate.

Oliver se lembrou da voz da própria mãe lendo, em voz alta, um poema de Alice Duer Miller para eles.

O que fazer com os sapatos de uma mulher
Depois que ela já está morta?

Fazendo-se de forte, rasgou várias cartas, escolheu algumas das fotografias, jogou fora pedaços muito velhos de cera para lacrar cartas. Livrou-se de pedaços de barbante, de um cadeado quebrado sem a chave e de um vidro com tinta nanquim já ressecada. Quando o relógio bateu onze horas, a cesta de papéis estava transbordando, e quando ele acabara de se levantar para recolher o lixo e descarregá-lo na cozinha ouviu o barulho da porta da frente sendo fechada. Os painéis de vidro na parte de cima tremeram, produzindo um som cavernoso e estridente que ecoou pelas paredes do saguão. Carregando a cesta de papéis, Oliver saiu para ver quem chegara, e ficou frente a frente com Liz Fraser, que já vinha pelo corredor em direção a ele.

— Liz!

Ela estava de calça comprida e vestia um casaco de peles bem curto. O mesmo chapéu preto que usara na véspera estava enterrado, cobrindo as orelhas. Enquanto ele a olhava, Liz retirou o chapéu e, com a outra mão, ajeitou o cabelo escuro, que tinha sido cortado bem baixinho. Aquele pareceu um gesto estranho, nervoso e incerto, que não combinava com a sua aparência suave. Seu rosto estava corado devido ao frio, e ela sorria. Parecia maravilhosa.

— Olá, Oliver.

Foi até ao lado dele e se curvou sobre o monte de papéis amassados para beijar-lhe o rosto.

— Se você não quer me ver agora... — disse ela —, pode falar, que eu vou embora.

— Mas quem é que falou que eu não queria vê-la?

— Pensei que talvez...

— Bem, não pense "que talvez"... — cortou. — Venha comigo que eu vou lhe preparar uma xícara de café. Eu mesmo estou precisando de uma, pois já estou cansado de ficar aqui sozinho.

E saiu na frente caminhando até a cozinha, empurrando a porta de vaivém e mantendo-a aberta com o traseiro encostado nela, permitindo que ela entrasse antes dele, com suas longas pernas e seu aroma de ar fresco misturado com Chanel nº 5.

— Coloque a chaleira no fogo, por favor — disse. — Vou lá fora me livrar deste lixo.

Atravessando a cozinha, saiu pela porta dos fundos e deu de cara com o frio cortante. Conseguiu retirar todos os papéis da cesta e colocá-los na lata de lixo por etapas, sem que muita coisa voasse. Apertou a tampa da lata com força, para fechá-la com segurança, e voltou, grato pelo calor da cozinha. Liz, parecendo deslocada, estava na pia, enchendo a chaleira com água da torneira.

— Meu Deus! — disse Oliver. — Está frio demais!

— Eu sei... E já estamos na primavera. Vim andando de Rossie Hill até aqui e pensei que fosse morrer congelada. — Carregou a chaleira até o fogão Aga, levantou a pesada tampa e colocou o recipiente sobre o fogo. Ficou parada ali, de costas para as chamas e aproveitando o calor. Através da cozinha, ficaram olhando um para o outro. Então, de repente, falaram ao mesmo tempo.

— Você cortou o seu cabelo — disse Oliver.

— Sinto muito por Charles — disse Liz.

Ambos pararam, esperando que o outro continuasse. Então Liz falou, parecendo confusa:

— Tive que cortá-lo para poder nadar. Estive há pouco com uma amiga em Antigua, no Caribe.

— Queria agradecer por você ter vindo ontem.

— Eu... nunca tinha estado em um funeral antes.

Seus olhos, realçados pelo delineador e o rímel, ficaram de repente brilhantes, cheios de lágrimas que não caíam. O cabelo curto, com um corte elegante, expunha o comprimento do pescoço e a linha definida do queixo determinado, que herdara do pai. Enquanto Oliver a olhava, Liz começou a desabotoar o casaco de peles, e suas mãos também estavam bronzeadas, as unhas em forma de amêndoas pintadas em um tom muito claro de rosa. Ela usava ainda um anel grosso, com um monograma gravado na parte externa e uma fileira de finos braceletes de ouro em um dos pulsos delgados.

— Puxa, Liz... — disse ele, de modo inadequado. — Você cresceu!

— Claro que sim. Já estou com vinte e dois anos. Você esqueceu?

— Há quanto tempo não nos vemos?

— Uns cinco anos? É... Deve ter uns cinco anos, pelo menos.

— Como o tempo passou depressa!

— Você foi para Londres. Eu fui para Paris, e todas as vezes que eu voltava a Rossie Hill, você sempre estava fora.

— Mas Charles estava aqui.

— Sim. Charles estava aqui. — Mexeu com a tampa da chaleira, distraída. — Só que... se alguma vez ele reparou na minha aparência, certamente jamais a mencionou.

— Garanto que reparou. Apenas não era muito bom em dizer o que sentia. Enfim, para Charles você sempre foi perfeita. Mesmo quando tinha apenas quinze anos, usava rabo-de-cavalo e *jeans* apertado. Ele estava só esperando você crescer.

— Eu não consigo acreditar que ele está morto!

— Eu também não conseguia... — replicou Oliver. — Até ontem. Mas acho que já aceitei o fato, agora. — A chaleira começou a apitar no fogo. Oliver saiu do lado do fogão e foi procurar canecas, um vidro de café solúvel e uma garrafa de leite da geladeira.

— Meu pai me contou a respeito de Cairney.

— Você quer dizer... Sobre a idéia de vendê-la?

— Como é que você vai ter coragem de fazer isso, Oliver?

— É que não há outra escolha.

— Mas vender até mesmo esta casa? A casa tem que ser vendida também?

— O que eu faria com a casa?

— Você poderia mantê-la. Usá-la para fins de semana e férias, só para manter as raízes em Cairney.

— Isso me parece uma extravagância.

— Na verdade, não é. — Ela hesitou ligeiramente e

depois continuou em um só fôlego: — Quando você se casar e tiver filhos, vai poder trazê-los aqui, e eles vão poder fazer todas as coisas maravilhosas que você costumava fazer quando era pequeno. Vão correr soltos, construir casas na árvore grande, ter pôneis...

— E quem é que disse que eu estou pensando em me casar?

— Papai disse que você falou que não iria se casar até ficar velho demais para fazer qualquer outra coisa.

— O seu pai conta coisas demais para você.

— O que quer dizer com essa frase?

— Que ele sempre fez isso. Sempre foi indulgente com você, contava-lhe todos os segredos. Você era uma pirralha mimada, sabia?

— Estas são palavras de quem está querendo briga, Oliver... — replicou Liz, de forma divertida.

— Não sei como você sobreviveu. Filha única, com dois pais corujas e que nem moravam juntos. Como se isso não bastasse, ainda tinha Charles, que fazia todas as suas vontades.

A chaleira ferveu, e ele foi retirá-la do fogo. Liz tornou a baixar a tampa do fogão.

— Mas em compensação, você jamais me mimou, Oliver.

— Tinha mais juízo. — Colocou a água nas canecas.

— Você também jamais notou que eu existia. Estava sempre me dizendo para sair do seu pé.

— Ora, mas isso foi quando você ainda era uma menina pequena, antes de se tornar tão glamourosa. Por falar nisso, sabia que eu não consegui reconhecê-la, ontem? Só quando você tirou os óculos escuros é que eu reparei quem você era. Levei um susto!

— O café já está pronto?

— Já. Venha beber antes que esfrie.

Ao sentar, ficaram olhando um para o outro por cima da mesa da cozinha. Liz segurou a caneca de café com as duas mãos, como se os dedos ainda estivessem gelados. Sua expressão era provocante.

— Estávamos falando sobre você se casar.

— Eu não estava, você sim.

— Por quanto tempo vai ficar em Cairney?

— Até todas as coisas ficarem acertadas. E você?

— Tenho que ir para o sul, agora. — Liz encolheu os ombros. — Minha mãe e Parker estão em Londres por alguns dias, a negócios. Telefonei para ela quando cheguei, para lhe contar sobre Charles. Ela tentou me convencer a voltar para me encontrar com eles, mas expliquei que queria ficar aqui, para o funeral.

— Você ainda não me disse quanto tempo pretende ficar aqui em Rossie Hill.

— Ainda não fiz nenhum plano, Oliver.

— Então, fique por mais algum tempo.

— Você quer que eu fique?

— Sim.

Depois que isso foi dito e a situação foi acertada, o resto da tensão entre eles aliviou um pouco. Continuaram sentados, conversando, esquecidos do tempo. Só quando o relógio do saguão bateu doze vezes é que a atenção de Liz foi atraída para a hora, e ela olhou para o relógio de pulso.

— Minha nossa! Já é assim tão tarde? Tenho que ir.

— Para quê?

— O almoço. Você se lembra?... Aquela exótica e antiquada refeição... Ou você deixou de almoçar?

— Não, de modo algum.

— Volte comigo até a minha casa, agora. Pode ficar para almoçar conosco. Estamos apenas eu e meu pai.

— Não, só vou levá-la até em casa, mas não vou ficar para almoçar.

— Por que não?

— Já perdi metade da manhã fofocando com você, e ainda tenho muitas coisas para fazer.

— E que tal um jantar, hoje à noite?

Ele considerou a idéia e, então, por várias razões, abriu mão do convite, oferecendo uma alternativa.

— Pode ficar para amanhã?

— Quando você quiser... — E deu de ombros, cordata, a síntese da docilidade feminina.

— Amanhã vai ser ótimo, Liz. Que tal às oito da noite?

— Tudo bem. Um pouco mais cedo, se você quiser tomar um drinque.

— Certo, um pouco mais cedo, então. Agora, coloque o casaco e o chapéu, que eu vou levá-la até em casa.

O carro de Oliver era verde-escuro, baixo, pequeno e muito veloz. Ela se sentou ao lado dele com as mãos enterradas nos bolsos do casaco, olhando em frente, para a paisagem gélida e exposta da área rural escocesa, e estava tão fisicamente consciente do homem que estava a seu lado que essa sensação quase doía.

Ele mudara em algumas coisas e, no entanto, de uma certa maneira, parecia o mesmo. Estava mais velho. Havia marcas em seu rosto que não estavam lá antes, e este agora possuía uma expressão no fundo dos olhos que a fazia sentir-se como se estivesse embarcando em um caso de amor com um completo estranho.

Mas ainda era o mesmo Oliver. Inesperado, recusando qualquer compromisso, invulnerável.

Para Liz só havia Oliver. Tinha sido assim desde o início. Charles era apenas uma desculpa para ela freqüentar Cairney, e Liz a usara para isso, sem nenhuma vergonha, porque ele sempre encorajava suas visitas e parecia invariavelmente feliz por vê-la. Foi, porém, por causa de Oliver que ela acabou indo embora dali.

Charles era o simples, o caseiro, sem sofisticação, magro, com a pele clara e sardenta. Oliver, porém, era o magnetismo e o charme. Charles tinha tempo e paciência para aturar uma adolescente boba e desajeitada; tempo para ensiná-la a pescar, a dar o saque no jogo de tênis; tempo para paparicá-la durante as agonias do primeiro baile, e ensaiar com ela várias danças típicas. E por todo aquele tempo, ela só tivera olhos para Oliver, e rezava o tempo todo para que ele dançasse com ela.

Mas é claro que ele jamais dançava. Havia sempre alguém de fora, geralmente uma amiga estranha que viera com ele de Londres. "Eu a encontrei na Universidade, em uma festa, estava acompanhando uma amiga e tal..." E, no decorrer dos anos, houve muitas delas. As namoradas de Oliver eram uma piada no local, mas Liz não achava graça nenhuma. Ela as olhava de lado e detestava todas elas, criando imagens mentais de cada uma e espetando-as com alfinetes, roída pelos tormentos dos ciúmes de adolescente.

E após a separação dos pais, foi Charles quem escreveu para ela dando as notícias de tudo o que acontecera, mas sempre mantendo contato. Era, porém, uma fotografia de Oliver, um pequeno instantâneo meio amassado nas pontas, que ela mesma tirara há muito tempo, que vivia no bolso secreto da sua carteira e ia com ela a toda parte.

Agora, ali, sentada ao lado dele, Liz deixou o olhar se movimentar lentamente para o lado. As mãos de Oliver, pousadas sobre o volante revestido de couro, exibiam dedos longos, e as unhas tinham pontas quadradas. Havia uma cicatriz próxima do polegar, e ela se lembrava de quando ele abrira a mão, cortando-a em uma cerca de arame farpado. Seus olhos se moveram lentamente por toda a extensão do seu braço. O colarinho do casaco, revestido de pele de carneiro, estava virado para cima e envolvia todo o pescoço, tocando o cabelo grosso e escuro. E então ele sentiu o olhar dela e virou a cabeça para dar um sorriso, e os seus olhos, embaixo das sobrancelhas largas e escuras, pareciam bolas de gude azul-celeste.

— Vamos nos entender melhor da próxima vez — disse ele, mas Liz não respondeu. Lembrou-se do momento em que chegara ao aeroporto, em Prestwick, e do pai à sua espera. "Charles morreu." Houve um terrível momento em que ela não acreditara nisso, como se o chão tivesse sumido sob seus pés, e ela estivesse olhando para baixo, para um imenso buraco aberto no chão.

— E Oliver?... — perguntara, quase desmaiando.

— Oliver está em Cairney. Ou já deve ter chegado, a esta hora. Vinha hoje de manhã de Londres. O enterro vai ser na segunda-feira...

Oliver em Cairney. Charles, o querido, doce e paciente Charles estava morto, mas Oliver estava vivo, e estava em Cairney!... Após todos esses anos, ela o encontraria novamente... No caminho de volta, com seu pai dirigindo até Rossie Hill, este pensamento jamais saíra da sua cabeça. *Vou vê-lo. Amanhã vou vê-lo... E depois de amanhã... E no dia seguinte...* Ela ligara para a mãe em Londres, a fim de contar sobre Charles, mas quando Elaine tentara persuadi-la a deixar toda aquela tristeza para trás e ir para Londres, Liz recusara. A desculpa parecia apropriada.

"Tenho que ficar. Papai... e o enterro..." Mas o tempo todo ela sabia, e festejava o fato, de que estava ficando ali apenas por causa de Oliver.

E, miraculosamente, isso funcionara. Ela soube que tudo daria certo no momento em que Oliver, aparentemente sem razão, levantara o rosto subitamente, no cemitério, e olhara diretamente para ela. Foi possível notar tudo em seus olhos; primeiro a surpresa, e então a admiração. Oliver não estava mais em uma posição de superioridade. Agora eram iguais. E... o que era triste, sem dúvida, mas tornava tudo muito mais simples... Não havia mais Charles a considerar. O gentil Charles, o enlouquecedor Charles, sempre ali, como um velho cão fiel, esperando para ser levado para passear.

Ela deixou a mente prática e ocupada voar livre à frente, permitindo-se o deleite de visualizar duas ou três lindas imagens do futuro. Tudo funcionou de forma tão correta, que até parecia ter sido tramado por antecipação. O casamento seria em Cairney, talvez... Uma pequena e simples cerimônia rural na igreja local, com a presença de alguns poucos amigos. Depois, a lua-de-mel em?... Antigua?... Seria perfeito! Depois a volta a Londres. Ele já tinha um apartamento na cidade, e eles poderiam usá-lo, de início, para depois procurarem, com calma, uma casa maior e mais adequada. E, que idéia brilhante, ela poderia convencer o pai a lhe dar a casa principal de Cairney como presente de casamento. As sugestões tão casuais que ela colocara na cabeça de Oliver naquela manhã se tornariam, afinal, realidade. Ela já podia vê-los... dirigindo até a Escócia para fins de semana prolongados, passando as férias de verão ali, trazendo as crianças e oferecendo jantares e recepções...

— Você ficou muito quieta de repente!

A voz de Oliver trouxe Liz de volta à realidade como um tiro, e ela viu que já estavam chegando perto da casa. O carro virara no portão e seguia pela alameda, sob as árvores. Acima deles, os galhos despidos estalavam sob o vento cruel. Rodearam a pista circular na frente da residência e o carro parou diante da grande porta principal.

— Estava pensando na vida... — disse ela. — Apenas pensando... Obrigado por me trazer em casa.

— Eu é que agradeço por você ter aparecido lá em Cairney para tentar me animar.

— Está confirmado, então? Você vem jantar aqui amanhã, quarta-feira?

— Mal posso esperar.

— Quinze para as oito?

— Quinze para as oito!

Sorriram um para o outro, demonstrando o mútuo prazer que sentiam pelo que tinham acertado. Nesse momento, Oliver se debruçou para abrir-lhe a porta. Liz saiu do carro e subiu depressa os degraus gelados, correndo até a entrada coberta da residência, para se abrigar. Ao chegar ali, virou-se alegremente para acenar para Oliver, mas este já havia partido, e apenas a traseira do carro era visível, desaparecendo na alameda em seu caminho de volta a Cairney.

Naquela noite, quando Liz estava se preparando para sair do banho, deitada na banheira, foi interrompida por um telefonema de Londres. Enrolada na toalha, resolveu sair para atender à chamada, e ouviu a voz de sua mãe do outro lado da linha.

— Elizabeth?

— Sim. Alô, mamãe.

— Querida, como é que você está? — Elaine parecia preocupada. — Como estão as coisas por aí?

— Está tudo bem. Tudo perfeito. Maravilhoso!

Essa resposta tão solta não era exatamente o que a mãe de Liz esperava, e isso a deixou intrigada.

— Mas... Você foi ao enterro?

— Ah, fui! Aquilo foi horrível. Detestei cada momento...

— E por que não voltou logo para Londres?... Vamos ficar aqui por mais alguns dias...

— Não posso ir ainda... — Liz hesitou. Normalmente ela se fechava dentro de uma concha quando a conversa derivava para assuntos particulares. Elaine reclamava continuamente de nunca conseguir saber o que se passava na vida de sua única filha. De repente, porém, Liz pareceu mais expansiva. A excitação do que acontecera naquela manhã e a expectativa do que poderia acontecer no dia seguinte estavam fazendo com que ela se sentisse muito bem. Sabia que se não contasse a respeito de Oliver para alguém era capaz de explodir. Assim, terminou a frase com uma explosão de confiança. — O caso é que Oliver está aqui e vai passar alguns dias. E vem aqui jantar conosco, amanhã à noite.

— Oliver? Oliver Cairney?

— Sim, claro que é Oliver Cairney. Qual é o outro Oliver que nós conhecemos?

— Você quer dizer que...? Por causa de Oliver...

— Sim. Por causa de *Oliver*. — Liz deu ênfase ao nome, rindo. — Ora, mamãe, não seja tão ingênua.

— Mas... Eu sempre pensei que fosse Charles que...

— Bem, não era! — cortou Liz, bem depressa.

— E o que Oliver tem a dizer de tudo isso?

— Olhe, ele não me parece exatamente insatisfeito com o assunto.

— Ora... Não sei o que dizer... — Elaine pareceu confusa. — É a última coisa que eu esperava, mas se você está feliz...

— Ah, mamãe, eu estou! Estou feliz. Pode acreditar, jamais estive tão feliz na vida.

— Bem, depois me conte como foi... — disse a mãe, com voz tênue.

— Eu conto.

— E me avise quando é que vai voltar para Londres.

— Provavelmente vamos voltar juntos — disse Liz, já imaginando como iria ser. — Talvez voltemos no carro dele, só nós dois.

Sua mãe finalmente desligou. Liz colocou o fone no gancho, apertou a toalha mais firmemente em volta do corpo e foi pisando, com cuidado, de volta até o banheiro. Oliver... Ficou balbuciando o nome dele repetidas vezes. Oliver Cairney... Voltou para dentro da banheira e ligou a torneira de água quente com o dedo do pé. Oliver...

* * *

Dirigir rumo ao norte era como voltar atrás no tempo. A primavera estava atrasada em toda parte naquele ano, mas, em Londres, havia, pelo menos, alguns traços de verde aqui e ali; um princípio de folhagem que começava a surgir discretamente nos galhos secos das árvores do parque; ou os primeiros sinais amarelos das flores de açafrão pelos jardins; narcisos e pequenas íris vermelhas que apareciam timidamente nas floreiras das calçadas. E havia ainda roupas de verão, coloridas e atraentes, nas imensas vitrines das grandes lojas da cidade, fazendo com que as pessoas pensassem nas férias, em cruzeiros maravilhosos, céus azuis e muito sol.

Mas o caminho que cortava o país em direção ao norte parecia uma fita escura que atravessava campos planos que, progressivamente, iam ficando cada vez mais cinzentos e frios, e pareciam totalmente improdutivos. Todas as estradas estavam molhadas e sujas. Cada caminhão que os ultrapassava — e o velho carro de Caleb era ultrapassado por praticamente todos os outros veículos — jogava abundantes quantidades de lama líquida marrom, que encobria a visão do pára-brisa, forçando os limpadores a se manterem em funcionamento o tempo inteiro. Para piorar o desconforto, nenhuma das janelas do veículo fechava direito, e o aquecedor estava enguiçado, ou então precisava de algum ajuste secreto que nem Jody nem Caroline conseguiram descobrir. Enfim, qualquer que fosse o motivo, o fato é que o aquecedor não funcionava.

Apesar disso tudo, Jody estava com o melhor dos estados de espírito. Lia o mapa, cantava, fazia cálculos complicados para descobrir qual a velocidade média que estavam conseguindo (infelizmente baixa) e controlava a quilometragem.

Já andamos um terço do caminho, ou *Já estamos quase na metade*. Então, a certa altura, disse:

— Mais oito quilômetros e chegaremos ao restaurante Cantinho da Escócia. Não sei por que colocaram esse nome, já que ele não fica na Escócia.

— Talvez as pessoas entrem ali e bebam uísque escocês.

Jody achou a resposta muito engraçada.

— Nunca estivemos na Escócia, nenhum de nós. Por que será que Angus resolveu ir para lá?

— Quando o encontrarmos poderemos perguntar a ele.

— É!... — disse Jody, animado, pensando em ver Angus. Recostou-se então na mochila que, prudentemente, tinham enchido de comida. Abriu-a e deu uma olhada lá dentro. — O que você vai querer? Sobraram um sanduíche de presunto, uma maçã meio machucada e uns biscoitos de chocolate.

— Não estou com fome. Não quero nada.

— Você se importa se eu comer o sanduíche de presunto?

— Claro que não!

Depois de passar diante do Cantinho da Escócia, entraram na Rodovia A-68, com o pequeno carro enfrentando valentemente as matas geladas do condado de Northumberland, já quase na fronteira norte do país, e depois através de Otterburn até Carter Bar. A estrada subia em curvas, fazendo voltas, indo e voltando, em um ângulo de subida muito alto. Então, chegaram ao topo da última colina, passaram pelo marco de fronteira, e a Escócia apareceu diante de seus olhos.

— Chegamos! — disse Jody, com um tom de imensa satisfação. Caroline, porém, viu apenas uma extensão cinza de campos ondulados e ao longe montes brancos, totalmente cobertos de neve.

— Você acha que vai nevar? — perguntou ela, com alguma inquietação. — Está terrivelmente frio!

— Não... nessa época do ano não.

— Mas olhe para aqueles montes.

— Aquilo é neve que sobrou do inverno. Simplesmente ainda não derreteu.

— Mas o céu está muito escuro.

Jody franziu a testa. Estava realmente escuro.

— Faz diferença se nevar?

— Não sei. O problema é que nós não estamos com pneus para neve, e eu nunca dirigi com tempo muito ruim.

— Ah... Vai dar tudo certo! — disse Jody, depois de alguns instantes, pegando novamente o mapa. — Agora, o próximo lugar por onde vamos passar é Edimburgo.

A essa altura já estava quase totalmente escuro, ventava muito e a cidade estava toda enfeitada com as luzes das ruas. Inevitavelmente, eles se perderam, mas conseguiram afinal encontrar a rua de mão única que era a correta e a que levava até o acesso à ponte. Pararam uma última vez antes de deixar a cidade, para colocar gasolina e completar o nível do óleo. Caroline saltou do carro para esticar as pernas, enquanto o frentista conferia também o nível da água para depois investir sobre o pára-brisa imundo com uma esponja molhada. Enquanto fazia isso, observou o pequeno carro muito usado e rodado, demonstrando algum interesse. Depois, voltou sua atenção para os ocupantes.

— Vocês vêm de muito longe?

— De Londres.

— E vão seguir em frente?

— Vamos até Strathcorrie. Em Perthshire.

— Têm vocês um longo caminho ainda a seguir.

— Sim, sabemos disso.

— E vão enfrentar um tempo muito bravo pela frente. — Jody gostou do jeito arrastado com que ele falou "bravo". Buuraavo... Ficou repetindo a palavra daquele modo engraçado, quase sussurrando.

— Vamos enfrentar?...

— Com certeza. Acabei de ouvir a previsão. Vem mais neve por aí. Vocês têm que ter cuidado. Seus pneus... — e chutou um deles com a ponta da bota — ... não estão em bom estado, não!

— Vai dar tudo certo.

— Bem, se ficarem presos na neve, lembrem-se da regra de ouro: jamais saiam do carro.

— Não vamos esquecer.

Pagaram pelos serviços, agradeceram a gentileza e seguiram novamente adiante. O frentista do posto acompanhou-lhes a saída, balançando a cabeça pela irresponsabilidade deles, típica dos ingleses, de um modo geral, mas, na opinião dele, muito tolos.

A ponte Forth surgiu bem diante deles, com suas luzes de alerta acesas, que diziam em letras grandes: DEVAGAR. VENTOS FORTES. Pagaram o pedágio e foram seguindo, lentamente, açoitados e castigados pelo vento. Do outro lado, a estrada seguia para o norte, mas estava tão escuro e o temporal tão forte que, além da fraca iluminação dos faróis, não era possível ver mais nada à frente.

— Que pena!... — disse Jody. — Aqui estamos, na Escócia, e eu não consigo enxergar nada. Nem um simples e típico prato de *haggis*, genuinamente escocês.

Mas Caroline sequer chegou a ensaiar um sorriso. Sentia muito frio, e estava cansada e temerosa, tanto pelo tempo quanto pela neve ameaçadora. Subitamente, a aventura deixara de ser divertida e se transformara simplesmente em um ato da mais completa estupidez.

A neve começou a cair mais forte, assim que deixaram Relkirk para trás. Soprada forte pelo vento, ela vinha de encontro a eles, saindo do escuro como se fossem golpes de açoites brancos e ofuscantes.

— Parece artilharia antiaérea.

— Parece o quê?

— Artilharia antiaérea. Como nos filmes de guerra. É isso que essas rajadas de neve parecem.

A princípio, os flocos brancos não cobriam a estrada. Adiante, porém, subindo as colinas, a neve começou a se mostrar mais densa, empilhada em trincheiras e em diques, e transformada pelo sopro do vento em grandes pilhas brancas, que pareciam travesseiros. Grudada no vidro dianteiro, ela foi se amontoando sobre os limpadores de pára-brisa, até eles ficarem paralisados, parando de funcionar por completo. Caroline foi obrigada a parar o carro, e Jody saltou para limpar, com uma luva velha, a neve acumulada sobre o vidro. Voltou para o carro logo em seguida, molhado e tremendo.

— Meus sapatos se encheram de neve. Está tudo congelando. Eles seguiram em frente novamente.

— Quantos quilômetros ainda faltam? — A boca de Caroline estava seca de pavor, os dedos grampeados no volante. Pareciam estar em um descampado, sem nenhuma habitação por perto. Não se via uma luz sequer, nem outro carro, nem mesmo um caminhão na estrada.

Jody ligou a lanterna e estudou o mapa.

— Faltam mais ou menos doze quilômetros até Strathcorrie... Eu acho...

— E que horas são?

— Dez e meia. — Jody apontou a lanterna para o relógio.

Estavam no alto de uma colina, e a estrada adiante parecia descer morro abaixo, estreitando-se entre muralhas de neve. Caroline reduziu a marcha, engatando uma segunda, e, quando o carro ganhou velocidade, freou devagar, mas não devagar o suficiente. O carro derrapou para o lado e, em um instante de terror, Caroline sentiu que perdera a direção. Uma parede branca se agigantou diante deles, e as rodas da frente bateram com violência contra um banco de neve. O carro parou por completo. Com as mãos tremendo, ela tentou ligar de novo o motor. O carro pegou, e Caroline conseguiu girar o volante, fazendo as rodas virarem lentamente para fora da massa de neve. Conseguiram voltar à estrada, e seguiram a passo de lesma.

— Está muito perigoso, Caroline?

— Sim, acho que sim. Se ao menos estivéssemos com pneus especiais para neve...

— Caleb não teria pneus especiais para neve nem mesmo se morasse no Ártico.

Estavam agora seguindo em direção a um vale profundo. A estrada tinha árvores dos dois lados, mas seguia ao lado de um despenhadeiro. Lá de baixo vinha o ruído de um rio, com a água borbulhando e correndo com um barulho mais alto do que o vento. Chegaram a uma ponte curta e íngreme, com o formato de uma corcunda. Não dava para ver do outro lado, e, com medo de não conseguir subir, Caroline acelerou subitamente. O carro subiu e, quando já descia do outro lado, ela viu, tarde demais, que no final da ponte havia uma curva fechada para a direita. À frente deles estavam apenas montes de neve e a superfície sólida de um muro de pedra.

Ela ouviu Jody gritar e girou o volante depressa, mas não deu tempo. O carrinho de repente adquirira vontade própria e seguiu direto contra o muro, mergulhando em um monte denso de neve, ao lado de uma vala. O motor morreu na hora, e eles ficaram ali, formando um ângulo de quarenta e cinco graus em relação à estrada e ainda por cima com as rodas traseiras para fora, mas sobre a pista. Os faróis e o radiador estavam completamente enterrados na neve.

Ficou escuro de repente, sem a luz dos faróis. Caroline esticou a mão para desligá-los e depois tirou a chave da ignição. Estava tremendo muito. Virou-se para Jody e perguntou:

— Você está bem?

— Dei uma cabeçada no vidro, mas não foi nada.

— Desculpe.

— Não foi nada. Você não pôde evitar.

— Talvez fosse melhor ter parado antes. Devíamos ter ficado em Relkirk.

— Sabe, acho que isso é uma nevasca. — Jody falava com bravura e empolgação, olhando para fora da janela do carro para a penumbra em redemoinho. — Nunca estive em uma nevasca. O homem do posto falou que nós temos que ficar dentro do carro.

— Não podemos. Está frio demais. Espere aqui, que eu vou sair um instantinho para dar uma olhada.

— Não vá se perder.

— Pegue a lanterna.

Caroline abotoou o casaco e cuidadosamente saltou do carro, afundando a perna até o joelho no monte de neve, e tentando escalá-lo até conseguir encontrar o solo firme da estrada. O chão estava molhado e incrivelmente frio. Mesmo com a lanterna para guiá-la, a neve era ofuscante, e Caroline estava confusa. Seria muito fácil perder todo o senso de direção em uma situação como aquela.

Dando alguns passos à frente, na estrada, ela seguiu com a lanterna ao longo do muro de pedra que tinha sido o causador do imenso problema. Ele seguia ainda por uns dez metros e depois curvava-se para dentro, como se estivesse formando algum tipo de entrada. Caroline avançou por ali, junto a ele, e chegou a um pórtico alto, com um portão de madeira que estava aberto. Havia uma placa. Apertando os olhos para enxergar melhor através da neve, ela virou o foco de luz da lanterna para cima e leu, com dificuldade: FAZENDA CAIRNEY — PROPRIEDADE PARTICULAR.

Desligando a lanterna, olhou para dentro do terreno, através da escuridão que ficava além do portão. Parecia haver uma alameda com árvores dos dois lados, e era possível ouvir o barulho do vento passando através dos galhos secos, bem acima. Então, através do redemoinho de flocos de neve conseguiu avistar, bem ao longe, um ponto de luz.

Virou-se na mesma hora e voltou correndo, aos tropeços, para onde Jody estava, ainda dentro do carro. Abriu a porta com força.

— Estamos com sorte!

— Como assim?

— Este muro é de uma propriedade. Uma fazenda, ou algo desse tipo. Há uma espécie de entrada, com um portão e uma alameda comprida de acesso. E dá para ver uma luz lá longe. A casa não pode estar a mais de meio quilômetro.

— Mas o homem do posto falou que nós tínhamos que ficar dentro do carro.

— Se ficarmos, nós vamos morrer congelados! Vamos lá, a neve está muito espessa, mas acho que vamos conseguir. Não deve ser uma caminhada muito longa. Deixe a mochila para trás, pegue só as malas pequenas. E feche o seu casaco até em cima. Está muito frio, e vamos ter que nos molhar.

Jody fez o que ela disse, lutando para conseguir sair do carro, que ficara naquele ângulo estranho, com a neve se empilhando cada vez mais à sua volta. Caroline sabia que o mais importante agora era não desperdiçar tempo. Não havia um segundo a perder. Vestidos para a primavera de Londres, nenhum dos dois estava preparado para essas condições árticas. Usavam *jeans* e sapatos de sola fina. Caroline estava com um casaco de camurça e uma echarpe fina de algodão em torno do pescoço, que ela amarrou com força em torno da cabeça. A capa azul de Jody, porém, com um capuz para cobrir-lhe a cabeça, que estava sem a proteção de um gorro, era tristemente imprópria para aquela temperatura.

— Quer que eu coloque a minha echarpe para cobrir a sua cabeça? — As palavras eram atiradas longe pelo vento assim que lhe saíam da boca.

— Não! Claro que não! — Jody pareceu furioso com a idéia.

— Dá para você carregar a mala?

— Sim! Claro que dá!

Bateram a porta. O carro já juntara uma quantidade considerável de neve, e o seu contorno era indistinto na penumbra. Em pouco tempo, ele ficaria completamente coberto pela neve.

— Será que alguém vai perder a direção, como a gente, e bater nele, torto assim? — perguntou Jody.

— Acho que não. De qualquer modo, não há nada que possamos fazer. Se deixarmos a lanterna traseira ligada, a neve simplesmente vai cobri-la daqui a pouco. — E pegou a mão do irmão. — Vamos indo, não podemos ficar aqui conversando, temos que correr.

Ela o levou até o portão, seguindo as próprias pegadas irregulares, que já estavam desaparecendo. Além do portão, a escuridão se arrastava à frente, formando uma espécie de túnel cujo fundo tremulava devido à neve. A luz, porém, ainda estava lá. Apenas um pontinho luminoso, nada mais, e parecia bem distante... De mãos dadas, com as cabeças curvadas para a frente a fim de enfrentar o vento, começaram a caminhar na direção da luz.

Era uma aventura assustadora. Todos os elementos pareciam conspirar contra eles. Em poucos instantes, estavam ambos molhados até os ossos, e sentindo muito frio. As malas pequenas, que pareciam tão leves no princípio, ficavam mais pesadas a cada passo. A neve caía em cachoeira sobre eles, molhada, meio pastosa, grudando neles como um creme. Por sobre eles, na alameda, acima dos flocos, os galhos arqueados das árvores completamente desfolhadas crepitavam e estalavam de forma agourenta, rasgados pelo vento. De vez em quando era possível ouvir o som forte de um galho que se quebrava, seguido pelo barulho surdo do seu despedaçar no solo.

— Espero... — Jody estava tentando dizer algo, mas seus lábios estavam congelados, e os dentes tiritavam sem controle. Ele insistiu, porém, e conseguiu formar algumas palavras. — ... Só espero que uma dessas árvores não caia bem em cima da gente.

— Eu também.

— E o meu casaco era para ser impermeável!... — Sua voz era de indignação. — Estou completamente encharcado!

— Isso é uma nevasca, Jody, não um temporal comum.

A luz ainda continuava acesa, talvez um pouco mais brilhante e um pouco mais perto, mas a essa altura Caroline sentiu como se já estivesse andando há séculos. Era como uma jornada sem fim através de um pesadelo, com uma luzinha que tremulava e dançava adiante deles, sempre fora do alcance. Ela já estava começando a perder a esperança de conseguir chegar a algum lugar quando, de repente, a escuridão pareceu ficar menos densa, o som dos galhos que se quebravam foi ficando para trás, e ela compreendeu que eles já estavam chegando na parte final da alameda. Nesse instante, a luz sumiu, atrás de uma massa de arbustos, talvez azáleas. Depois, porém, de rodearem esse obstáculo, a luz apareceu de novo, e agora estava bem mais próxima. Continuaram andando, trôpegos, e perderam o equilíbrio ao esbarrar com os pés em uma pequena protuberância do caminho. Jody quase caiu, mas Caroline o ajudou a se manter firme, e ele conseguiu ficar de pé novamente.

— Tudo bem. Estamos em um gramado, relva ou algo assim. Deve ser o pedaço de um jardim.

— Vamos em frente... — falou Jody. Foi tudo o que conseguiu dizer.

Agora, a luz tomava forma. Estava acesa em uma janela do andar de cima da casa, que felizmente tinha as cortinas abertas. Caminhavam agora por sobre um espaço aberto que ficava diante da construção e que se elevava à frente deles. Era impossível identificar a imagem borrada dos seus contornos através da neve que caía, mas eles conseguiram divisar outras luzes, com um brilho quase evanescente, por trás de grossas cortinas fechadas, nos aposentos do andar de baixo.

— É uma casa grande — sussurrou Jody. E era mesmo.

— Que bom. Tem mais espaço para nós... — Mas ela não sabia se Jody conseguira ouvir. Largou a mão dele e tateou de modo desengonçado, com os dedos congelados, procurando a lanterna no bolso. Conseguiu ligá-la, e o fraco feixe de luz indicou um lance de escadas com degraus de pedra, meio cobertos pela neve. A escada levava aos recantos escuros de uma espécie de varanda quadrada. Subiram os degraus e se viram, finalmente, sob a cobertura, a salvo da neve. A luz da lanterna brincava sobre o painel da porta e apontava para uma corrente de ferro trabalhado. Caroline pousou no chão a mala que carregava e esticou o braço para puxar a corrente. Era dura, pesada, e aparentemente não produziu nenhum resultado. Tentou novamente, puxando com um pouco mais de força dessa vez, e finalmente um sino soou, parecendo um eco distante, nos fundos da casa.

— Pelo menos está funcionando. — Caroline se virou para Jody e a luz da lanterna bateu sem querer no seu rosto. Foi quando ela viu que o irmão estava com um tom cinza-azulado, de tanto frio. O cabelo estava todo colado na cabeça, e seus dentes não paravam de bater. Desligando a lanterna, ela colocou o braço em torno dele e o apertou junto de si.

— Tudo vai ficar bem.

— Tomara que sim — disse Jody, com uma voz que parecia trêmula de nervoso e frio. — Espero que um mordomo medonho não apareça e pergunte, com voz cavernosa, "Tocou, senhor?", como sempre acontece nos filmes de terror.

Caroline esperava o mesmo. Estava na iminência de tocar o sino de novo quando ouviu o barulho de passos do lado de dentro. Um cão latiu e uma voz grave o mandou ficar quieto. Luzes se acenderam por trás das estreitas janelas com vidros dos dois lados da porta. Os passos pareceram mais próximos e, no instante seguinte, a porta se abriu e um homem apareceu, ao lado de um cão labrador amarelo que estava com os pêlos eriçados e rosnando.

— Quieta, Lisa! — disse o homem para o cão, e depois olhou para Caroline. — Sim?

Ela chegou a abrir a boca para falar, mas não conseguiu pensar em nada para dizer. Simplesmente ficou ali, com um braço apertado em volta de Jody. Talvez essa fosse a melhor coisa que poderia ter feito, no final das contas. Sem que nenhuma outra palavra precisasse ser dita, suas malas foram recolhidas do chão, e os dois foram puxados para dentro da casa. A grande e pesada porta foi então fechada, deixando a noite e a terrível tempestade lá fora.

O pesadelo acabara. A casa parecia maravilhosamente quente. Estavam salvos.

4

Em estado de completo assombro, o que impressionou Oliver mais do que qualquer outra coisa foi a constatação de que eles eram muito jovens. O que é que duas crianças estavam fazendo na rua, às onze e meia da noite, numa tempestade como aquela? De onde teriam vindo, com suas pequenas malas? E para onde, por Deus, estariam indo? Ao mesmo tempo, porém, em que essas perguntas se amontoavam em sua cabeça, compreendeu que todas elas teriam que esperar até mais tarde para serem respondidas. A coisa mais importante agora era livrá-los daquelas roupas encharcadas e colocá-los em um banho quente, antes que morressem de hipotermia.

— Venham! Depressa! — disse, sem perder tempo em pedir explicações aos recém-chegados. Seguiu na frente deles, subindo a escada de dois em dois degraus. Depois de um curto instante de hesitação, ouviu que os dois inesperados visitantes o seguiam, correndo pelas escadas para alcançá-lo. Sua mente começou a trabalhar rapidamente. Havia dois banheiros. Primeiro, ele se dirigiu ao próprio banheiro, em seu quarto. Acendeu a luz, tampou o ralo da banheira e abriu a torneira de água quente. Ficou por um momento agradecendo em silêncio pelo fato de que uma das coisas que tradicionalmente funcionavam à perfeição naquela casa velha era o sistema de água quente. De fato, quase imediatamente, nuvens de vapor confortante se formaram no ar.

— Entre aqui... — disse à jovem. — Entre na banheira o mais rápido que puder e fique ali dentro até se sentir quente de novo. E você... — Pegou pelo braço o menino que estava passivo, por causa do frio e das roupas ensopadas. — Venha por aqui. — E o arrastou de volta com passos apressados através do longo corredor até o banheiro do antigo quarto de brincar, acendendo todas as luzes pelo caminho. Aquele banheiro não era usado há algum tempo, mas o aquecimento da casa o mantinha sempre aconchegante e agradavelmente quente. Abriu as cortinas da banheira, que exibiam um padrão desbotado com personagens de Beatrix Potter, e abriu a torneira da esquerda.

O menino já estava tateando o casaco, tentando desabotoá-lo.

— Você está bem? Quer ajuda com as roupas?

— Não, estou legal. Obrigado.

— Volto já.

— Certo.

O menino ficou, durante algum tempo, por sua própria conta. Depois de deixá-lo, e já do lado de fora da porta, Oliver ficou parado por um momento, tentando decidir o que deveria fazer em seguida. Era evidente que, a essa hora da noite, os jovens teriam que passar a noite ali. Pensando nisso, foi novamente pelo corredor até o velho e imenso quarto de hóspedes. O ambiente estava muito frio, mas Oliver abriu as pesadas cortinas e ligou o aquecedor elétrico. Foi então até a cama de casal e dobrou a ponta da colcha. Viu com alívio que a Senhora Cooper deixava a cama permanentemente preparada, com os melhores lençóis de linho e os travesseiros com bainha dupla. Uma porta desse quarto dava para um outro aposento, um pouco menor, ao lado, que já havia sido um quarto de vestir. Ali havia uma cama de solteiro que estava igualmente preparada para um eventual ocupante, embora, da mesma forma que no outro quarto, a temperatura estivesse muito baixa. Depois de abrir completamente as cortinas do cômodo e acender mais um aquecedor, voltou para o andar de baixo, pegou as duas malas que constituíam toda a bagagem deles, e que haviam sido abandonadas no saguão, e as carregou até a biblioteca. A lareira estava quase apagada, pois Oliver já estava se preparando para ir dormir quando o sino da entrada tocara. Agora, de volta ao local, resolveu reavivar o fogo, colocando novas achas, para em seguida proteger o piso em frente às labaredas usando a grade aparadora feita de latão para isolar as fagulhas que saltavam.

Abriu o zíper da primeira mala e tirou um pijama listrado em azul e branco, um par de chinelos e uma camisola de flanela. Tudo estava ligeiramente úmido, e Oliver, agindo como uma babá cuidadosa, pendurou-os sobre a grade do aparador da lareira, para secar. A outra mala não tinha nada tão simples e previsível como um pijama. Ali havia embalagens de vidro com loções, potes de creme, uma escova de cabelo com um pente, um par de chinelos dourados e, no fundo, um conjunto de camisola e robe de tecido muito fino, na cor azul-bebê, cheios de lacinhos e completamente inúteis para aquele clima. Oliver colocou a camisola ao lado do pijama, em cima da cama. A imagem das peças uma ao lado da outra lhe pareceu sugestiva e *sexy*, e ele ainda encontrou tempo para sorrir diante dessa idéia, antes de se encaminhar para a cozinha, a fim de encontrar alguma coisa nutritiva para seus hóspedes comerem.

A Senhora Cooper preparara uma panela de caldo escocês, com legumes e cevada, para a ceia de Oliver. Sobrara mais da metade. Ele colocou a panela da sopa sobre o fogão Aga para aquecer, e depois se lembrou que crianças nem sempre gostavam de tomar caldo escocês. Assim, abriu uma lata de sopa de tomate, e a despejou em outra panela menor. Pegou a seguir uma bandeja grande, cortou pão, passou manteiga nas fatias e juntou a tudo isso algumas maçãs e uma jarra cheia de leite. Achou a refeição muito simples e caseira. Colocou, também, sobre a bandeja uma garrafa de uísque (quanto mais não fosse, para ele mesmo), um sifão com soda e três copos altos. Para terminar, pôs a chaleira grande para ferver e, ao fim de uma pequena busca, fez surgirem, de uma gaveta inesperada oculta sob a pia, duas bolsas de água quente. Encheu-as e as colocou sob o braço. A seguir foi recolher as roupas de dormir, que já tinham secado e estavam ligeiramente mornas, com um cheiro reconfortante de berçário. Colocou as bolsas de água sobre a cama e foi até o próprio quarto, onde tirou um suéter grosso, feito com lã Shetland, de uma das gavetas da cômoda, e puxou um roupão felpudo que estava pendurado na parte de trás da porta. Para encerrar, pegou duas toalhas de banho.

Bateu suavemente na porta do banheiro onde Caroline estava.

— Como é que você está se arranjando?

— Está tudo ótimo! A água está quentinha... — veio a voz da jovem através da porta.

— Bem, eu trouxe uma toalha e algumas roupas para você vestir. Vou deixar tudo aqui, do lado de fora. Saia quando quiser, fique à vontade.

— Certo. Obrigada.

Ele não teve a mesma preocupação de bater ao chegar no outro banheiro. Simplesmente abriu a porta e entrou. O menino estava na banheira, coberto pela água até o pescoço. Movia lentamente as pernas, para a frente e para trás. Olhou para Oliver quando este entrou, sem se mostrar envergonhado pela súbita chegada do dono da casa.

— Como é que você se sente agora? — perguntou Oliver.

— Nossa, muito melhor! Obrigado. Nunca tinha sentido tanto frio na vida.

Oliver puxou um banco e se sentou, acomodando-se para conversar de maneira descontraída.

— O que aconteceu? — perguntou.

O menino se sentou reto na banheira. Oliver notou as sardas que ele tinha nos ombros, nos braços e espalhadas por todo o rosto. Seu cabelo estava molhado, todo desarrumado e cheio de pontas espalhadas, que tinham uma cor clara de cobre, como folhas de faia.

— O carro bateu de frente em um monte de neve, ao lado da estrada.

— E ficou preso na neve?

— Sim. Vínhamos andando e descemos com o carro por uma pequena ponte aqui perto, meio em arco. Não sabíamos que logo na saída da ponte tinha uma curva fechada. Não deu para ver, por causa da neve.

— É... É uma curva mal-planejada, mesmo para quem dirige com tempo bom. O que vocês fizeram com o carro?

— Deixamos lá.

— Para onde estavam indo?

— Para Strathcorrie.

— E de onde vocês vieram?

— De Londres.

— *Londres*? — Oliver não conseguiu disfarçar o espanto na voz. — Vocês vieram de Londres? Hoje?

— Sim. Saímos de manhã bem cedo.

— E a jovem que está com você? É sua irmã?

— É.

— E foi ela que veio dirigindo?

— Sim, ela dirigiu o carro por todo o caminho.

— Mas... só vocês dois?

— Só nós dois... — O menino fez um olhar orgulhoso. — Nós estávamos bem, sozinhos.

— Sim, é claro! — concordou Oliver depressa. — É só que a sua irmã não parece ter idade suficiente para dirigir.

— Ela já tem vinte anos.

— Bem, nesse caso, já é adulta o bastante para ter carteira.

Um pequeno silêncio baixou entre eles. Jody pegou uma esponja, apertou-a completamente para drenar a água e depois passou sobre o rosto, levantando uma crista de cabelo sobre a testa. Seu rosto surgiu lentamente, então, por trás da esponja, e ele falou:

— Acho que já esquentei o suficiente. É melhor sair.

— Então, venha. — Oliver pegou a toalha grande de banho, sacudiu por uma das pontas para desdobrá-la e, quando o menino saiu da banheira e pisou sobre o tapete grosso do lado de fora, ele o enrolou nela.

— Qual é o seu nome? — perguntou ao menino.

— Jody.

— Jody de quê?

— Jody Cliburn.

— E a sua irmã?

— O nome dela é Caroline.

Oliver pegou uma das pontas da toalha e esfregou o cabelo de Jody.

— Vocês têm algum motivo em especial para esta viagem até Strathcorrie?

— Meu irmão está lá.

— E ele se chama Cliburn também?

— Sim. Angus Cliburn.

— Será que eu o conheço?

— Não creio. Ele está lá há pouco tempo. Trabalha no hotel.

— Entendo.

— Meu irmão vai ficar muito preocupado — disse Jody.

— Por quê? — Oliver pegou o pijama e entregou a parte de cima para Jody.

— A roupa está quentinha!

— É que eu as coloquei diante da lareira. Por que o seu irmão vai ficar preocupado?

— É que mandamos um telegrama, e ele está nos esperando hoje à noite. E agora, a gente não vai aparecer.

— Ele sabe da nevasca. Vai imaginar que vocês não conseguiram chegar até lá por causa do tempo.

— Nunca imaginamos que pudesse nevar. Em Londres já é plena primavera. Há flores, brotos, novas folhas e tudo o mais nas árvores.

— É... Mas você agora está na região norte, longe e gelada, meu garoto. Não pode confiar no tempo por aqui.

— Eu nunca tinha estado na Escócia antes... — Jody colocou as calças do pijama e amarrou o cordão na altura da cintura. — Nem Caroline.

— Foi falta de sorte o tempo fazer isso com vocês.

— Que nada, na verdade foi até muito emocionante. Uma aventura!

— Aventuras são muito boas, mas só quando acabam bem. Não é tão divertido quando você está correndo risco de vida no meio do perigo. Acho que vocês conseguiram se sair muito bem dessa.

— Tivemos sorte de encontrar você.

— Foi. Tiveram mesmo.

— Essa casa é sua?

— É.

— Você mora aqui sozinho?

— No momento, sim.

— Qual o nome desse lugar?

— Fazenda Cairney.

— E qual é o seu nome?

— O mesmo. Cairney. Oliver Cairney.

— Caramba!

— Parece assim meio estranho, não é? — Oliver sorriu. — Agora, se você já está pronto, vamos encontrar com a sua irmã e comer alguma coisa. — Abriu a porta. — Por falar nisso, você prefere caldo escocês ou sopa de tomate?

— Eu prefiro tomate, se tiver.

— Imaginei que fosse dizer isso.

Quando estavam passando pelo corredor, Caroline apareceu, saindo do outro banheiro. Com o suéter e dentro do roupão de Oliver, estava como que submersa. Parecia ainda menor e mais magra do que à primeira vista. Os cabelos compridos estavam molhados, e o colarinho alto do suéter parecia estar servindo de apoio à cabeça frágil.

— Agora estou me sentindo bem diferente... Muito melhor... Agradeço muito...

— Estamos indo procurar algo para comer...

— Puxa, receio que estejamos sendo uma amolação imensa para você.

— Amolação vai ser se vocês pegarem algum resfriado aqui em casa e eu ainda tiver que cuidar de vocês.

Desceu as escadas e ouviu, atrás dele, Jody dizer para Caroline, em um tom de voz muito satisfeito:

— Ele me disse que o jantar é sopa de *tomate*!

— Aquela ali adiante é a porta da biblioteca. — Estava parado na porta da cozinha. — Vão vocês em frente até lá e esperem, que eu já vou levar a comida. Podem colocar mais algumas achas de lenha na lareira para manter o fogo bem forte.

A sopa estava borbulhando suavemente. Oliver colocou uma concha fumegante de cada uma das sopas em duas tigelas, e carregou a bandeja cheia até a biblioteca, onde encontrou os dois inesperados hóspedes junto do fogo. Jody estava sentado em uma banqueta para apoiar os pés, e a irmã estava ajoelhada no tapete, tentando secar o cabelo. Lisa, o cão de Charles, estava sentada entre eles, com a cabeça apoiada sobre os joelhos de Jody, que acariciava suas orelhas. Levantou a cabeça e olhou para Oliver quando este surgiu.

— Como é o nome do cão?

— É ela, e se chama Lisa. Já fez amizade com você?

— Acho que sim.

— Normalmente ela não faz amizade assim tão depressa. — Colocou a bandeja sobre uma mesa baixa, empurrando para o lado algumas revistas e jornais já lidos, para abrir espaço.

— Ela é sua?

— No momento, sim. Você tem um cão?

— Não. — A resposta foi dada sem entusiasmo. Oliver resolveu mudar de assunto.

— Por que você não toma a sopa logo, antes que esfrie? — Enquanto começavam a comer, retirou o pequeno biombo de metal que protegia a lareira, colocou mais uma acha, serviu-se de uísque com soda e se acomodou na velha poltrona ao lado do fogo.

Comeram em silêncio. Em pouco tempo, Jody já tomara a sopa, devorara todo o pão com manteiga, bebera dois copos de leite e estava começando a atacar as maçãs. Sua irmã, porém, apenas provou um pouco do caldo escocês, tomou duas colheradas e depois pousou a colher ao lado do prato, como se não estivesse mais com fome.

— Não está boa? — perguntou Oliver.

— Está uma delícia! Mas eu não consigo comer mais.

— Não está com fome? Não é possível que não esteja com fome!

— Ela nunca está! — resumiu Jody.

— Talvez um drinque?

— Não, obrigada.

Oliver não quis insistir, e disse a seguir:

— Seu irmão e eu conversamos enquanto ele tomava banho. Vocês são Jody e Caroline Cliburn?

— Sim.

— E eu sou Oliver Cairney. Ele lhe disse o meu nome?

— Sim. Acabou de dizer.

— E vocês vieram de Londres?

— Sim.

— E enfiaram o carro em um monte de neve, na estrada, perto do muro aqui de casa?

— Sim.

— E estavam indo para Strathcorrie.

— Sim. Nosso irmão trabalha lá, no hotel da cidade.

— E ele está aguardando a chegada de vocês?

— Enviamos um telegrama para ele. Deve estar preocupado, imaginando o que aconteceu conosco.

— Já é quase meia-noite. — Oliver olhou para o relógio. — Se vocês quiserem, podem tentar entrar em contato pelo telefone. Deve haver um porteiro de plantão no hotel.

— Puxa, você faria isso por nós? — Ela parecia grata.

— Claro, posso tentar fazer isso. — Mas não adiantou, pois o telefone estava mudo. — As linhas devem ter caído — explicou Oliver. — Por causa da tempestade.

— Então, o que faremos?

— Não há nada que possam fazer, a não ser ficar aqui.

— Mas o Angus...

— Como eu disse ao Jody, ele vai imaginar o que aconteceu.

— E amanhã?

— Se a estrada não estiver bloqueada, podemos chegar a Strathcorrie, de um jeito ou de outro. Tenho uma caminhonete Land-Rover muito forte, se não conseguirmos chegar do jeito mais fácil.

— E se a estrada estiver totalmente bloqueada?

— Vamos pensar nisso quando acontecer.

— O problema é que... Bem, não temos muito tempo. Ficamos de voltar para Londres na sexta-feira.

— Há alguém em Londres com quem devêssemos entrar em contato? — Oliver olhou para o fundo do copo, balançando-o em círculos, suavemente. — Para avisá-los de que vocês estão bem?

Jody olhou direto para o rosto da irmã. Após um breve espaço de tempo, ela respondeu:

— Mas não podemos ligar, não é? Os telefones estão mudos.

— Eu sei, mas ligaremos quando voltarem a funcionar.

— Não. — disse ela. — Não precisamos entrar em contato com ninguém.

Oliver naquele momento teve a certeza de que ela estava mentindo. Olhou para a jovem, notou as maçãs salientes do rosto, o nariz reto e curto, a boca larga e bem-definida. Estava com olheiras escuras embaixo dos olhos, e o cabelo era muito comprido, claro e liso como seda. Por um momento seus olhares se encontraram, e ela desviou o rosto para o lado. Oliver decidiu não insistir no assunto.

— Estava só fazendo uma sugestão — disse ele, com suavidade.

De manhã, quando Caroline acordou, a luz clara e ofuscante da neve estava refletida no teto branco do imenso quarto. Ficou deitada, meio sonolenta, com a cabeça enterrada no travesseiro macio de plumas e nos lençóis de linho. Ouviu um cão latir ao longe, e veio de repente o barulho triturante, típico de um trator que se aproximava. Pegou no relógio e viu que já passara das nove horas. Saiu da cama e foi na ponta dos pés até a janela. Abriu as imensas cortinas cor-de-rosa e foi atingida por uma rajada de luz tão ofuscante que a fez apertar e piscar os olhos.

O mundo estava totalmente branco. O céu se mostrava claro e limpo, azul-pálido como um ovo de pintarroxo. Sombras compridas estavam estiradas como cicatrizes escuras no solo liso, imaculado e brilhante. Todos os contornos estavam atenuados e arredondados pela neve que cobria tudo, espalhada sobre cada galho de pinheiro e empilhada como se fossem pequenos chapéus brancos no alto dos postes. Caroline abriu a janela e se debruçou, olhando para baixo. O ar estava muito frio, perfumado e estimulante como vinho branco gelado.

Lembrando dos horrores pelos quais haviam passado na noite anterior, tentou se localizar da janela. Na parte da frente da casa havia um grande espaço aberto, provavelmente um jardim, circundado pela passagem de acesso. Viu a longa alameda através da qual ela e Jody haviam quase se arrastado, e que seguia adiante, além de uma pequena lombada. Ao longe, entre campos que pareciam ser pastos, inclinada, a estrada principal serpenteava, entre muros de pedra lisos. Um automóvel se movia tentando passar, mas muito lentamente.

O trator que ela ouvira vinha vindo da direção onde ficava o portão, subindo a alameda. Enquanto estava olhando, ele desapareceu por trás de um imenso bosque de azáleas, e veio se agitando com cuidado ao redor do gramado coberto de neve, para depois sair do campo de visão, indo pela passagem lateral até os fundos da casa.

Estava frio demais para ficar com o rosto do lado de fora. Caroline se afastou da janela e a fechou. Pensou em Jody e foi abrir a porta que dava para o quarto ao lado. Lá dentro estava escuro e silencioso. Dava para ouvir apenas a respiração do menino, que ainda dormia profundamente. Fechando a porta, procurou algo para vestir por cima da camisola, mas tudo o que havia era o suéter e o roupão emprestados. Assim, resolveu vesti-los novamente e, descalça, saiu do quarto e foi andando pelo corredor, na esperança de encontrar alguém que a orientasse.

Reparou então em como a casa era enorme. O corredor dava em uma área espaçosa, mobiliada com tapetes e um armário alto feito em imbuia, com gavetas. Havia ainda várias cadeiras e uma mesa onde alguém colocara uma pilha de camisas limpas, cuidadosamente passadas. Do alto da escada conseguiu ouvir alguns sons, e identificou vozes ao longe. Desceu os degraus e, seguindo o murmúrio das vozes, viu-se diante do que parecia ser a porta da cozinha. Colocou as mãos na maçaneta e a empurrou. Ao abrir a porta, as duas pessoas que estavam lá dentro pararam de falar, e se viraram na mesma hora para ver quem chegara.

Oliver Cairney, usando um suéter bege-escuro, estava sentado à mesa e tinha uma caneca com chá nas mãos. Conversava com uma mulher que estava de pé, descascando batatas na pia. Era de meia-idade, tinha cabelos grisalhos e estava com as mangas arregaçadas. Usava um avental florido amarrado com um laço atrás, na altura da cintura. A cozinha estava quente e cheirava a pão recém-saído do forno. Caroline se sentiu como uma intrusa no ambiente e disse:

— Desculpem...

Oliver, que por um momento ficara sem ação pela surpresa de vê-la, pousou a caneca sobre a mesa e se levantou.

— Não há motivo para se desculpar. Eu pensei que vocês fossem dormir até a hora do almoço.

— Jody ainda está dormindo.

— Quero que conheça a Senhora Cooper. Senhora Cooper, esta é Caroline Cliburn. Estava acabando de contar à Senhora Cooper o que aconteceu com vocês ontem à noite.

— Foi uma nevasca terrível, com certeza — disse a Senhora Cooper. — Todos os telefones continuam mudos.

— Quer dizer que ainda não podemos telefonar? — Caroline olhou para Oliver.

— Não, e vamos continuar assim por mais algum tempo. Venha e tome uma xícara de chá. Ou melhor, tome o café da manhã completo. O que você vai querer? Ovos com *bacon*?

— Somente chá, e já está ótimo — disse ela, recusando qualquer outra coisa. Oliver puxou-lhe uma cadeira, e Caroline se sentou à mesa impecavelmente limpa. — Estamos isolados pela neve?

— Parcialmente. A estrada para Strathcorrie está bloqueada, mas podemos ir até Relkirk.

Caroline ficou completamente desanimada.

— E... o carro? — perguntou, quase com medo da resposta.

— O Senhor Cooper foi até lá com o trator, para dar uma olhada.

— É um trator vermelho?

— Sim.

— Eu o vi chegando de volta, vindo da estrada.

— Nesse caso, ele vai chegar aqui a qualquer momento para nos contar como está o automóvel. — Oliver pegara uma xícara e um pires, e já estava servindo chá para Caroline, direto de uma chaleira que fervia celeremente sobre o fogão Aga. A bebida estava muito forte e também muito quente, e ela bebeu tudo com ar agradecido. Depois, falou:

— Não consegui encontrar as minhas roupas.

— A culpa é minha... — disse a Senhora Cooper. — Eu as coloquei no secador de roupa. Já devem estar secas. Mas é impressionante, hein? — Balançou a cabeça. — Vocês dois devem ter ficado encharcados.

— E ficaram — disse Oliver. — Pareciam dois pintinhos afogados.

Quando Caroline acabou de se vestir e desceu as escadas novamente, o Senhor Cooper já havia se juntado ao grupo e trazia notícias do carro enterrado na neve. Era um típico homem do interior, e seu sotaque era tão diferente e acentuado que Caroline teve dificuldades para entender o que ele disse.

— Ói, a gente conseguiu desenterrá o bicho, ma o motor tá acabadim.

— Por quê?

— Acho que congelô tudo. Num é de estranhá.

— Você tinha colocado algum anticongelante no motor? — Oliver perguntou, olhando para Caroline, que pareceu não entender a pergunta e ficou ainda mais pálida.

— Anticongelante! — repetiu. — Não significa nada para você?

Ela balançou a cabeça para os lados, e Oliver virou-se para trás e falou com o Senhor Cooper.

— Você deve estar certo. O motor congelou.

— Eu... *deveria* ter colocado um anticongelante? — perguntou ela.

— Bem, teria sido uma boa idéia.

— Eu não sabia... Sabe o que é?... O carro não é meu.

— O que está querendo dizer? Você o roubou?

A Senhora Cooper emitiu um pequeno som de desaprovação, como se fosse um sussurro soprado entre os lábios franzidos. Caroline não tinha certeza se a desaprovação era dirigida a Oliver ou a ela mesma. Respondeu, então, com ar de indignação:

— Não, é claro que não o roubei. Simplesmente o pegamos emprestado.

— Entendo... Bem, pedido, emprestado ou roubado, eu sugiro que nós desçamos até a estrada e vejamos o que pode ser feito por ele.

— Bem... — disse o Senhor Cooper, colocando a velha boina de volta à cabeça com sua imensa mão vermelha, e já se encaminhando para a porta. — Se a gente pegá o Land-Rover, vou vê se consigo u'a corda forte pra rebocar, e a gente pode tentá tirá ele puxano com o trator.

Depois que saiu, Oliver olhou para Caroline.

— Você quer vir conosco?

— Sim.

— Vai precisar de botas.

— Eu não tenho...

— Acho que por aqui deve haver algumas botas que caibam em você...

Ela o seguiu até uma velha lavanderia que estava sendo reformada, e era usada temporariamente como depósito para capas de chuva desbotadas, botas usadas, velhas cestas de dormir para cães, algumas bicicletas enferrujadas e uma máquina de lavar roupa, esta última novinha em folha. Depois de fazer uma busca em meio a todos esses objetos, Oliver fez surgir um par de botas de borracha que talvez servisse nela. E trouxe também uma capa impermeável preta. Caroline vestiu-a e puxou as pontas do cabelo para fora do colarinho. Então, devidamente paramentada, seguiu Oliver até o lado de fora, saindo em meio à manhã brilhante.

— Neve de inverno, sol de primavera — disse Oliver com satisfação, enquanto pisavam na neve limpa e pura, em direção à porta fechada da garagem.

— A neve vai durar por muito tempo?

— Provavelmente, não. Só que ela ainda vai levar alguns dias para derreter. Caíram quase vinte e cinco centímetros de neve ontem à noite.

— Era primavera quando saímos de Londres.

— Foi o que seu irmão disse.

Oliver levantou o braço para destrancar a garagem, e abriu as duas portas largas. Dentro havia dois veículos. Um era o pequeno automóvel esportivo verde-escuro, e o outro era o Land-Rover.

— Vamos ter que pegar o carro maior, o Land-Rover — disse ele. — Para não ficarmos presos também.

Caroline subiu. Saíram da garagem, passaram pelo caminho em volta da casa e tomaram a alameda, seguindo cautelosamente por sobre as marcas escuras do caminho que o Senhor Cooper já abrira na neve, com o trator. A manhã estava completamente silenciosa. Todos os sons eram imediatamente abafados pelo manto branco. Apesar disso, era possível notar sinais de vida em volta. Aqui e ali havia trilhas abertas na neve entre as árvores, e pequenas pegadas em forma de estrelas mostravam que por ali haviam estado pássaros errantes. Bem no alto, os galhos das árvores de faia se encontravam, formando um arco elevado, com suas pontas ressecadas se entrelaçando, parecendo silhuetas esqueléticas contra o céu azul-pálido e brilhante da manhã.

Saíram pelo portão, direto na estrada, de frente para o sol ofuscante. Oliver parou o Land-Rover na beira da estrada e ambos saltaram. Caroline viu agora claramente a ponte que parecia ter uma corcunda e que havia provocado o acidente. Viu também o pobre contorno do carro de Caleb, enfiado na neve, todo torto, perto de uma vala, com o chão em volta dele completamente marcado pelas imensas pegadas da bota do Senhor Cooper. O pequeno veículo parecia acabado, mumificado, dando a entender que nunca mais iria se mover. Caroline se sentiu terrivelmente culpada diante dessa visão.

Oliver fez força para abrir a porta e, com cuidado, conseguiu se enfiar meio de lado no carro, sentando-se diante do volante, com uma das pernas para fora. Girou a chave que Caroline tinha descuidadamente deixado na ignição. Houve um som agonizante do motor e depois um forte cheiro de queimado. Sem dizer uma palavra, saiu do carro e bateu a porta.

— Não tem jeito! — Caroline o ouviu sussurrar e então se sentiu não apenas culpada, mas também tola.

— Eu não sabia que precisava usar um anticongelante — disse ela mais uma vez, tentando vagamente se defender. — Eu já lhe disse, o carro não é meu.

Oliver não respondeu a isso, e andou em volta do veículo, tirando, com a ponta da bota, a neve que estava junto aos pneus traseiros. Depois, agachou-se, colocando o joelho sobre o solo ainda com neve e baixou a cabeça quase até o chão, para ver se o eixo traseiro ficara empenado, já que estava entre a beira da vala e o monte de neve.

Caroline achava tudo isso muito deprimente, e de repente se sentiu à beira das lágrimas. Tudo estava dando errado. Ela e Jody estavam presos ali naquela casa, com aquele homem que parecia pouco condescendente. O carro de Caleb estava inutilizado, não havia telefones para ligar para Strathcorrie, e a estrada ficara completamente bloqueada. Tentando segurar as lágrimas, virou-se para olhar para o lado da estrada, que seguia adiante, fazendo uma curva e continuando por sobre um pequeno monte. A neve cobria tudo, espessa e branca, em grossas camadas sobre as muretas de pedra da estrada. Uma brisa passou, irmã menor do vendaval da noite anterior, e soprou uma leve camada de neve pelo ar, como se fosse uma fumaça frágil, que subia dos campos e rodava em redemoinhos sobre os flocos que já estavam empilhados como esculturas cintilantes nos cantos das muretas. Em algum lugar na quietude da manhã, um pássaro veloz mergulhou do céu soltando um grito agudo. Depois, tudo ficou imóvel novamente.

Atrás dela, os passos de Oliver rangiam sobre a neve. Ela se virou para olhar para ele, enfiando as mãos nos fundos dos bolsos da capa de chuva emprestada.

— Receio que o carro esteja acabado — disse ele, balançando a cabeça. — Não pega de jeito nenhum.

— Mas... não tem nem conserto? — Caroline estava horrorizada.

— Tem, tem sim! O Senhor Cooper vai desenterrá-lo com a ajuda do trator, e vai levá-lo até uma oficina que fica um pouco adiante, na estrada. Lá nós temos um bom mecânico. O Mini vai estar pronto para você usá-lo amanhã, ou talvez depois de amanhã. — Algo no rosto dela o fez acrescentar, como se de repente estivesse tentando animar-lhe o espírito: — Mesmo que você conseguisse fazer o carro andar, pode ver que jamais conseguiria dirigir até Stathcorrie. A estrada está totalmente fechada, não passa nada.

— Quando você acha que vai ser liberada? — E virou-se outra vez para olhar para ele.

— Assim que a máquina de limpar neve passar por aqui. Uma nevasca como essa, já depois de o inverno ter acabado, sempre tumultua tudo. Temos que ser pacientes.

Abriu a porta do Land-Rover e ficou ali parado, esperando que ela entrasse. Lentamente, Caroline fez o que ele queria. Batendo a porta, deu a volta por trás do veículo, entrou e se sentou atrás do volante. Ela pensava que Oliver, naquele momento, iria levá-la de volta para casa. Em vez disso, porém, ele acendeu um cigarro calmamente e ficou ali sentado, fumando, aparentemente perdido em seus pensamentos.

Caroline começou a se sentir apreensiva. Carros poderiam ser um bom lugar para se estar na companhia de alguém de quem você gostasse. Mas não era tão bom quando você estava junto com uma pessoa que ia começar a fazer um monte de perguntas que você não estava com vontade de responder.

No momento em que Oliver falou, todos os seus temores se mostraram justificados.

— Quando foi que você disse que precisava estar de volta a Londres?

— Sexta-feira. Foi nesse dia que eu *garanti* que íamos voltar.

— Para quem você afirmou isso?

— Caleb. O homem que nos emprestou o carro.

— E quanto aos pais de vocês?

— Estão mortos.

— Não há mais ninguém? Deve haver alguém. Não posso acreditar que vocês dois mantenham uma casa, sozinhos, por conta própria. — Sem conseguir evitar, Oliver sorriu da própria idéia. — Se acontecesse isso, a vida de vocês seria repleta dos mais terríveis desastres.

Caroline não achou isso nem um pouco engraçado. Respondeu, com frieza:

— Se você quer saber, nós moramos com nossa madrasta.

— Ahn... *Entendi!...* — Oliver fez um olhar de quem já compreendera tudo.

— O que foi que você entendeu?

— Uma madrasta malvada!

— Ela não é... malvada!... — Caroline fez uma careta. — Ela é até muito legal.

— Mas não sabe onde vocês estão neste momento?

— Bem... É que... — Caroline hesitava em contar a meia-verdade. Depois, de forma mais convincente, disse: — Olhe, ela sabe, sim. Sabe que estamos na Escócia.

— E ela sabe o porquê? Sabe sobre o seu irmão Angus?

— Sim, ela sabe sobre isso também.

— Me explique uma coisa... Fazer toda essa viagem só para encontrar com Angus. Havia alguma outra razão especial para isso, ou era só para dizer "Olá, Angus"?

— Não exatamente.

— Isso não é uma resposta.

— Não é?

Seguiu-se um longo período de silêncio. Depois de um tempo, Oliver disse, com uma delicadeza que pareceu forçada:

— Sabe, tenho a forte impressão de que estou pisando em gelo fino, aqui. Acho que você deveria entender que não dou a mínima para o que você está planejando, mas me sinto ligeiramente responsável pelo seu irmão. Afinal de contas, ele só tem... onze anos?

— Posso muito bem ser responsável por Jody.

— Vocês dois podiam ter morrido na nevasca, ontem à noite — disse Oliver, com a voz calma, mas firme. — Você tem consciência disso, não tem? — Caroline olhou para ele e viu, com assombro, que ele estava realmente falando sério.

— Mas eu tinha visto a luz acesa na sua casa, quando resolvi abandonar o carro. Se não fosse assim, teríamos ficado dentro do carro, que era mais protegido, esperando até a tempestade de neve passar.

— Nevascas são uma coisa muito comum nesta parte do mundo. Você deveria estar preparada para algo assim. Tiveram muita sorte.

— E você foi gentil. Mais do que isso. Foi muito generoso, e eu ainda não tive a chance de agradecer devidamente. Mas ainda acho que quanto mais depressa formos encontrar Angus e quanto mais rápido você se livrar de nós, melhor.

— Bem, vamos ver o que acontece. E, a propósito, vou precisar sair hoje. Tenho um almoço de negócios marcado em Relkirk. A Senhora Cooper, porém, vai servir a refeição para você e Jody. Quando eu voltar, talvez a estrada para Strathcorrie já esteja desimpedida. Posso levar vocês até lá e entregá-los a seu irmão.

Caroline considerou com cuidado essa oferta e achou que, por algum motivo, a idéia de Oliver Cairney e Angus Cliburn se encontrarem não era muito boa.

— Olhe, não precisa se incomodar. Acho que podemos conseguir...

— Não! — Oliver se inclinou para a frente e apagou a ponta do cigarro. — Não há nenhum outro modo de chegar a Starthcorrie, a não ser voando. Portanto, fique sentadinha me esperando em Cairney, até eu voltar. Entendeu?

Caroline abriu a boca para argumentar, mas notou o olhar dele e fechou a boca de novo. Concordou a contragosto.

— Está certo — falou.

Por um momento, Caroline achou que ele iria continuar com aquela conversa, mas a atenção de Oliver foi felizmente atraída pela chegada do trator vermelho. O Senhor Cooper vinha ao volante, e um rapaz bem jovem, de gorro tricotado na cabeça, estava encarapitado bem a seu lado. Oliver saiu do Land-Rover e foi até eles, para ajudá-los. Só que isso era um trabalho muito enfadonho de se observar. Depois de muito tempo, o carro de Caleb já havia sido limpo da neve que o revestia, a crosta que grudara em volta e sob os pneus fora duramente retirada com o auxílio de uma pá, cordas haviam sido amarradas no seu eixo traseiro, e duas ou três tentativas haviam sido feitas para puxá-lo para fora, até que, finalmente, sob vaivéns e rangidos, o trator conseguiu desencavá-lo. A essa altura, já eram quase onze horas da manhã. Caroline olhou a pequena tropa sair pela estrada em direção à oficina, Cooper no volante do trator e Geordie dentro do Mini, tentando manter o instável carro em linha reta, na ponta da corda de reboque. Mais uma vez, ela se sentiu horrível.

— Espero que consigam consertá-lo — disse a Oliver quando este entrou novamente no Land-Rover, ao lado dela. — Não seria tão terrível se o carro fosse meu, mas prometi a Caleb que tomaria muito cuidado com o Mini.

— Não foi culpa sua. Poderia ter acontecido com qualquer um. Quando a oficina tiver acabado o serviço, o carrinho provavelmente vai estar melhor do que antes. — Olhou para o relógio. — Temos que ir. Preciso trocar de roupa, pois tenho que estar em Relkirk quando for meio-dia e meia.

* * *

Voltaram para casa em silêncio. Oliver estacionou o carro na porta e se encaminhou para entrar em casa. Na subida da escada, parou, virou-se e olhou para Caroline.

— Vocês vão ficar bem?

— Claro.

— Nós nos veremos mais tarde, então.

Caroline ficou observando enquanto ele subia a escada, as pernas compridas pulando de dois em dois degraus. Tirou a capa e as botas grandes e saiu à procura de Jody. A cozinha estava vazia, mas ela encontrou a Senhora Cooper passando o aspirador em uma sala de jantar totalmente acarpetada e, aparentemente, poucas vezes utilizada. Desligou o aparelho quando viu Caroline aparecer na porta.

— Conseguiu resolver o problema com o carro? — perguntou.

— Sim. Seu marido foi muito gentil e levou o automóvel para a oficina. A senhora viu o Jody?

— Sim, está por aí, aquela gracinha de criança. Desceu logo que acordou, já tomou o café da manhã comigo, na cozinha, e estava bem-disposto. Comeu dois ovos cozidos, torradas com mel e um copo de leite. Depois, levei-o até o antigo quarto de brincar e ele está lá agora, se distraindo com todos aqueles brinquedos de montar, casas de tijolinhos, carros e sabe-se lá o que mais.

— Onde fica esse quarto?

— Venha comigo, vou lhe mostrar.

Abandonando a limpeza, seguiu na frente, subiu a pequena escada dos fundos e saiu em uma porta que dava em um corredor que tinha paredes pintadas de branco e era revestido por um carpete azul.

— Esta aqui era a ala das crianças, nos velhos tempos. Os pequenos todos tinham esse espaço só para eles. Não é mais usada agora, é claro. Já não é usada há muitos anos, mas eu acendi um fogo bem gostoso na lareira, e o ambiente está agradável e bem quentinho.

Abriu a porta e deixou Caroline entrar na frente. Era uma sala grande, com um espaço que se projetava para fora do quarto, onde havia uma janela alta que dava para o jardim. O fogo crepitava por trás de uma proteção de metal alta. Havia velhas poltronas, um sofá bastante usado, várias prateleiras com livros, um antigo cavalo de madeira sem cauda e, no chão, Jody. Estava cercado por um forte feito com blocos de madeira, que se espalhavam por todo o chão, até os cantos da sala. A construção estava cheia de pequenos veículos de época, soldadinhos de chumbo, caubóis, tudo isso misturado com pequenos cavaleiros medievais em armaduras e também animais de fazenda. Jody olhou para cima quando Caroline entrou no aposento, e a concentração na brincadeira era tão grande que ele nem ao menos ficou sem graça por ter sido pego em uma atividade tão infantil.

— Nossa! — disse Caroline. — Quanto tempo você levou para construir tudo isso?

— Comecei depois do café. Cuidado para não derrubar essa torre!

— Eu tomo cuidado! — Pulou bem devagar por cima da construção e foi até a lareira, onde ficou encostada no protetor.

A Senhora Cooper estava olhando para Jody, encantada.

— Nunca vi nada feito com tanto capricho! — falou. — E olhe só aquelas estradas minúsculas! Você deve ter usado todos os blocos e tijolinhos do quarto.

— Quase todos! — Jody sorriu para ela, à vontade. Obviamente, já tinham se tornado grandes amigos.

— Bem, vou ter que deixá-los agora. O almoço sai ao meio-dia e meia. Fiz torta de maça para a sobremesa, com um pouco de creme. Você gosta de torta de maçã, meu anjo?

— Sim, adoro!

— Que bom! — E saiu. Eles a ouviram cantarolando baixinho.

— Ela não é legal? — perguntou Jody, alinhando dois blocos altos e montando um portão cerimonial para o forte.

— Sim, ela é muito legal. E você, dormiu bem?

— Dormi. Dormi demais, até. É uma tremenda casa! — E empilhou mais dois blocos sobre os anteriores, para aumentar ainda mais a altura dos portões.

— O carro foi para a oficina. O Senhor Cooper o levou. O motor estava sem anticongelante.

— É? O velho e tolo Caleb... — disse Jody, abanando a cabeça. A seguir, escolheu uma peça em forma de arco e colocou-a com cuidado sobre os blocos do portão, coroando a sua obra-prima. Abaixou a cabeça e encostou o rosto no chão, olhando através do arco, como se fosse pequenino e capaz de passar pela abertura montado em um cavalo branco, com uma pluma sobre o elmo agitando-se na brisa e um estandarte com uma cruz que o dividia em quatro partes, levantado bem no alto.

— Jody, na noite passada, quando estava conversando com Oliver Cairney, você não contou nada para ele sobre a história ou a vida de Angus, contou?

— Não. Falei apenas que estávamos indo encontrar com ele.

— Falou sobre Diana? Ou Hugh?

— Não, ele não perguntou.

— Não diga nada.

— Por quanto tempo mais vamos ficar nesta casa? — E levantou os olhos.

— Tempo nenhum. Pretendo encontrar Angus ainda esta tarde. Vamos direto para Strathcorrie assim que as estradas forem liberadas.

Jody não fez nenhum comentário a respeito. Caroline o observou enquanto ele pegava um pequeno cavalo de uma caixa aberta e depois procurava por um bonequinho que servisse para aquela sela. Encontrou-o e juntou os dois, animal e soldado, e ficou admirando-os por um momento, para avaliar o efeito. Colocou então o cavaleiro, com todo o cuidado, sob o arco do portão do forte. De repente, falou:

— A Senhora Cooper me contou uma coisa...

— O que foi que ela contou?

— Esta casa não é dele.

— O quer dizer com "esta casa não é dele"? É claro que tem que ser dele.

— Na verdade, pertencia ao irmão dele. Oliver mora em Londres, e o irmão é que morava aqui. Era fazendeiro. É por isso que tem um monte de cães, tratores e coisas de fazenda por toda parte.

— E o que aconteceu com o irmão dele?

— Morreu. Em um desastre de carro. Semana passada.

Morto em um desastre de carro. Alguma coisa, alguma lembrança longínqua surgiu no fundo do subconsciente de Caroline, mas quase de imediato ficou perdida, suplantada pelo horror que sentiu, à medida que a informação dada com tanta naturalidade por Jody se acomodava em sua mente. Teve que colocar a mão sobre a boca, como se tentasse abafar a realidade. Morto.

— É por isso que Oliver está aqui... — Jody começou a falar mais depressa, um claro sinal de que ficara perturbado com aquilo. — Veio por causa do enterro e tudo o mais. Para organizar as coisas, segundo a Senhora Cooper. Vai vender a casa, a fazenda e todo o resto, e nunca mais quer voltar. — Ficou de pé com cuidado, pulou por cima das pecinhas até chegar ao lado de Caroline, e postou-se junto dela. A irmã sentiu então que, apesar da sua aparente frieza, Jody estava, de repente, precisando muito ser confortado.

Colocou o braço em torno do menino e disse:

— E no meio de todos esses problemas, nós ainda tínhamos que aparecer de repente, meu Deus. Pobre homem!

— A Senhora Cooper falou que isso acabou sendo bom para ele. Disse que assim ele fica com o pensamento longe da tristeza. — E olhou para cima. — Quando é que vamos encontrar com Angus, então?

— Hoje mesmo! — prometeu Caroline, sem hesitar. — Hoje mesmo.

Além da prometida torta de maçã com creme como sobremesa, havia para o almoço um delicioso pastelão de carne, batatas assadas e um purê de nabo tipicamente escocês, ou "nabinhos moídos", como a Senhora Cooper os chamava, enquanto os colocava sobre o prato de Jody. Caroline, que imaginou que estaria com fome àquela hora, descobriu que não estava. Jody, porém, comeu tudo e depois atacou com gosto especial um tablete de doce "feito em casa".

— E agora, o que é que vocês dois vão fazer pelo resto do dia? Meu marido só vai voltar lá pela hora do chá.

— Posso continuar brincando no quarto das crianças? — Jody quis saber.

— Claro, meu anjo. — A Senhora Cooper olhou para Caroline.

— Acho que vou dar uma volta — anunciou Caroline.

— Mas... você já não tomou ar fresco o suficiente por hoje? — A Senhora Cooper parecia surpresa.

— Gosto muito de ficar ao ar livre. E tudo fica tão mais bonito, por causa da neve...

— Só que está começando a ficar nublado. Não vamos ter uma tarde muito bonita.

— Não me importo.

— E você se *incomoda* se eu não for com você? — perguntou Jody, preocupado.

— Claro que não.

— É que eu preferia ficar aqui para construir uma arquibancada no meu forte. Você sabe, daquelas cobertas, feitas para o povo assistir aos torneios entre os cavaleiros.

— Sim, faça isso.

Envolvido com seus planos, Jody pediu licença e desapareceu escada acima para pô-los em ação o mais rápido possível. Caroline se ofereceu para ajudar a Senhora Cooper com a louça, mas foi dispensada. "Saia fora, vá, vá, antes que a chuva chegue", foi o que ouviu. Assim, saiu da cozinha e seguiu através do saguão. Colocou a capa e as botas de borracha que usara pela manhã, amarrou um lenço em volta da cabeça e saiu da casa.

A Senhora Cooper estava certa a respeito do dia.

Nuvens apareceram, vindas de oeste, havia uma certa apatia no ar, e o sol sumira por completo. Enfiando as mãos bem no fundo dos bolsos do casaco para mantê-las quentes, ela foi em frente, a pé, através do gramado e depois pela alameda. Atravessou os portões e saiu direto na estrada. Virou para a esquerda, na direção de Strathcorrie, e começou a caminhar um pouco mais depressa.

"Fique sentadinha e me espere em Cairney", Oliver dissera, e se ela não estivesse de volta na hora de seu retorno de Relkirk, ele provavelmente iria ficar furioso. Analisando bem, Caroline não conseguiu ver que importância isso poderia ter. Afinal, de qualquer modo, depois daquele dia, provavelmente eles dois nunca mais iriam se ver de novo. Ela escreveria para ele, é claro, para agradecer pela sua gentileza e hospitalidade. Mas jamais iria vê-lo novamente.

Além do mais, era importante que quando ela e Angus se encontrassem mais uma vez, após todos esses anos, isso não acontecesse diante dos olhos de um estranho com espírito de crítica. A pior coisa a respeito de Angus é que você jamais podia imaginar o que esperar dele. Sempre provara ser a pessoa mais imprevisível do mundo, vago, esquivo, de enlouquecer qualquer um. Desde o começo ela teve algumas reservas e dúvidas a respeito dessa aventura louca de vir até a Escócia procurar pelo irmão mais velho. De algum modo, porém, o entusiasmo de Jody a contagiara. O menino tinha tanta certeza de que Angus estaria lá, esperando por eles de braços abertos, maravilhado por revê-los e ansioso por ajudá-los que, analisando a distância, lá em Londres, ele conseguira convencê-la disso tudo também.

Agora, porém, na luz gelada daquela tarde escocesa, as dúvidas voltaram. É claro que Angus *deveria estar* no Hotel Strathcorrie, porque era lá que ele trabalhava. O fato, porém, de que ele engraxava os sapatos dos hóspedes, carregava lenha e trabalhava como servente não era garantia de que não estaria com os cabelos compridos, uma barba imensa, ou talvez descalço e sem a mínima intenção de fazer algo para ajudar seus irmãos. Ela já até podia imaginar a reação de Oliver Cairney diante dessa atitude, e soube então que não teria agüentado tê-lo presente para testemunhar esse grande reencontro familiar.

Além do mais, havia essa nova informação a respeito da morte recente e trágica do irmão de seu anfitrião, e a sensação de forte constrangimento, por terem abusado da sua gentileza e tirado vantagem da sua inquestionável hospitalidade, em uma ocasião totalmente inoportuna como aquela. Não havia dúvida de que o quanto antes ele se livrasse dos hóspedes, melhor seria. Não havia dúvida também de que ir procurar Angus agora, por conta própria, era a única coisa sensata a fazer.

Tropeçando ao longo da estrada comprida e coberta de neve, ela passava o tempo, enquanto caminhava, tentando se convencer de que isso era mesmo verdade.

Já havia andado por quase uma hora, sem ter a menor idéia de quantos quilômetros cobrira, quando um caminhão veio se aproximando pela sua lateral, rolando vagarosamente, pelo trecho íngreme da estrada. Era a máquina de limpar neve da Prefeitura, com suas imensas pás de aço cortando caminho através da massa branca e brilhante como se fosse a quilha de um navio através da água, espalhando uma imensa onda clara que parecia espuma, dos dois lados da estrada.

Caroline saiu do caminho, subindo em uma mureta para deixar a máquina passar, mas esta parou a seu lado, e um dos homens da cabine abriu a porta e se dirigiu a ela.

— Para onde você está indo, moça?

— Strathcorrie.

— Faltam ainda dez quilômetros. Quer uma carona?

— Sim, agradeceria muito.

— Suba, então. — Ela desceu com cuidado da mureta, e ele estendeu a mão calejada para ajudá-la a subir, arrastando-se no banco para o lado, a fim de dar espaço para ela.

Seu companheiro, o homem mais velho que estava dirigindo, disse, circunspecto:

— Espero que você não esteja com pressa. A neve está muito espessa na borda do morro aí adiante.

— Não estou com pressa. Já é uma grande vantagem não ter que andar.

— Sim, ainda mais com esse tempo "buuraavo" — falou ele, pronunciando "bravo" com o mesmo sotaque do homem no posto de gasolina.

Ele preparou as lâminas pesadas do equipamento, soltou o freio de mão e foi em frente. Estava, de fato, em passo muito lento. De tempos em tempos o caminhão parava, os dois homens saltavam e faziam um pouco de exercícios extenuantes com a pá, acabando de limpar as pilhas de neve e sujeira que tinham ficado para trás, colocando-as, estrategicamente, nos acostamentos da estrada. A umidade penetrava através das janelas da cabine, e os pés de Caroline, dentro das botas largas, começaram a parecer duas pedras de gelo.

Finalmente alcançaram o topo do último monte antes da cidade, e o motorista falou, em tom gentil:

— Chegamos a Strathcorrie! — E ela viu a paisagem branca e cinza aparecer diante deles, no fundo de um vale e ao lado de um lago, comprido e tão tranqüilo, que sua superfície, que refletia o céu cinzento, parecia feita de aço. Do outro lado do lago, as montanhas subiam novamente, e tinham um padrão de cor escura, com fileiras de abetos e pinheiros que pareciam árvores de Natal. Além desses cumes suaves, era possível avistar outros picos mais elevados, em uma cadeia de montanhas longínquas que seguia na direção norte. E abaixo, bem em frente a eles, apertada em torno da parte mais estreita do lago, ficava o vilarejo. Caroline notou a torre da igreja e as ruazinhas cheias de casas acinzentadas. Havia um local para barcos com ancoradouros, um cais e pequenas embarcações que tinham sido trazidas para a margem arenosa e cheia de seixos, a fim de ficarem protegidos durante o inverno.

— Que lugar lindo! — disse Caroline.

— É mesmo um bonito lugar!... — respondeu o ajudante. — E muitos visitantes aparecem por aqui nos meses de verão. Velejam em barcos alugados, ficam em pousadas e, às vezes, dormem nos *trailers* que trazem rebocados nas caminhonetes.

A estrada seguia morro abaixo. A neve ali, por alguma razão, não parecia tão espessa, e o caminhão descia mais depressa.

— Onde é que você quer ficar? — perguntou o motorista.

— No hotel. Hotel Strathcorrie. Sabe onde fica?

— Sim, claro que sei.

No vilarejo, as ruas cinzentas estavam todas molhadas, com neve que derretia, descia pelas sarjetas e pingava das calhas, fazendo sons de pedrinhas atiradas na água. A máquina de limpar neve desceu pela rua principal, passou por baixo de um arco ornamental em estilo gótico, construído para comemorar alguma ocasião da era vitoriana há muito esquecida, e parou diante de uma construção comprida e toda pintada de branco, à frente da qual havia uma entrada de paralelepípedos e uma placa que ficava balançando ao vento sobre a porta, e onde estava escrito *Hotel Strathcorrie. Sejam bem-vindos.*

Não havia sinal de vida.

— Está funcionando? — perguntou Caroline, em dúvida.

— Sim, está, sim. É que não tem muito movimento por aqui nessa época do ano.

Agradecendo pela carona, ela saltou do caminhão limpa-neve. Enquanto o veículo se afastava ruidosamente, ela atravessou a rua, foi pela calçada em paralelepípedos e entrou pela porta giratória. Lá dentro havia um cheiro penetrante de cinza de cigarros misturada com repolho cozido. Um quadro mostrava um filhote de cervo sobre um morro molhado, e havia um balcão com uma placa em cima, RECEPÇÃO, mas ninguém ali para receber. Ao lado da placa, porém, havia uma sineta de mesa, que Caroline tocou. Em um momento, saiu uma mulher de dentro de um escritório. Usava um vestido preto e óculos de armação enfeitada com *strass*, e não parecia muito satisfeita por ter sido interrompida no meio da tarde, especialmente por uma jovem vestindo calça *jeans*, uma capa de chuva e um lenço vermelho em volta da cabeça.

— Sim?

— Desculpe incomodar, mas eu gostaria de saber se posso falar com Angus Cliburn.

— Ah... — respondeu a mulher de imediato. — Angus não está! — Parecia bastante satisfeita por ter sido capaz de fornecer essa informação.

Caroline simplesmente ficou olhando para ela. Acima, na parede, um relógio tiquetaqueava e emitia um som forte que parecia amplificado, devido ao silêncio do lugar. Em algum ponto localizado nos fundos do hotel, um homem começou a cantarolar. A mulher ajeitou os óculos.

— Ele *estava* aqui, você entende? — explicou ela, como se estivesse dando razão à pergunta de Caroline. Hesitou por um instante e depois quis saber:

— Foi você quem por acaso enviou um telegrama endereçado a ele, por esses dias? Chegou um telegrama para ele, aqui no hotel, mas Angus já tinha ido embora quando o estafeta apareceu com a tal mensagem. — E abriu uma gaveta, de onde tirou o envelope laranja. — Tive que abri-lo, entende? Teria tentado avisar a você que ele não estaria aqui, só que não havia nenhum endereço.

— Não, não havia...

— Ele estava aqui realmente, entende? Trabalhava conosco no hotel já fazia mais de um mês. Ajudava em todas as tarefas. Estávamos com falta de mão-de-obra, entende?...

— Mas... Para onde é que ele foi?

— Ah, não sei informar ao certo. Foi embora com uma senhora americana, para trabalhar como motorista dela. Essa senhora estava hospedada aqui e não tinha ninguém para dirigir o carro que alugara. Então, como conseguimos outra pessoa para colocar no lugar de Angus, nós o liberamos, e ele foi ser empregado dela. Um *chauffeur* particular — completou com afetação, como se Caroline jamais tivesse ouvido a palavra.

— E eles falaram se iriam voltar aqui?

— Sim, voltarão em um ou dois dias. "No fim de semana", foi o que a Senhora McDonald disse.

— Senhora McDonald?

— Sim, a senhora americana da qual lhe falei. Os antepassados do marido vieram desta parte da Escócia. É por isso que ela estava tão interessada em sair por aí visitando a região. Foi quando resolveu alugar um carro e contratou Angus como motorista.

De volta no fim de semana. Isso poderia significar sexta-feira ou sábado. Só que Caroline e Jody teriam que estar de volta a Londres na sexta-feira. Não poderiam esperar até o fim de semana. Caroline estava com casamento marcado para logo depois. Na próxima terça-feira ela ia se casar com Hugh e tinha que estar lá antes disso, porque ia haver um ensaio da cerimônia na segunda-feira... Diana iria ficar furiosa... E havia todos aqueles presentes.

Seus pensamentos corriam de um lado para o outro inutilmente, para a frente e para trás, como um irrequieto cavalo de corrida. Tentou se recompor e disse a si mesma que precisava ser prática em um momento como aquele. Mas compreendeu que não conseguia pensar em uma só idéia que fosse prática. Não era capaz de dizer nem fazer coisa alguma. *Eu não agüento mais, cheguei ao limite das minhas forças*. Era isso que estava sentindo. Agora, quando Caroline ouvisse alguém dizer "Cheguei ao limite das minhas forças", iria entender perfeitamente o significado da frase.

A mulher atrás do balcão começou a ficar um pouco impaciente com toda essa espera.

— Você precisava ver Angus por algum motivo urgente?

— Sim, sou irmã dele. É muito importante.

— E de onde é que você veio agora?

— De Cairney — respondeu Caroline, de imediato.

— Mas a Fazenda Cairney fica a treze quilômetros daqui, e a estrada está bloqueada.

— Eu vim caminhando por uma parte do caminho. Depois, peguei uma carona na máquina de limpar neve.

— E ficou pensando que eles iam ter que esperar por Angus, de qualquer maneira. Talvez pudessem se hospedar naquele hotel mesmo. Gostaria de ter trazido Jody, assim eles já poderiam ficar por ali. — Será que a senhora teria dois quartos vagos para podermos ficar hospedados?

— Por que "podermos"? Tem mais alguém?

— É que eu tenho outro irmão menor. Ele não está comigo agora.

A mulher pareceu ficar em dúvida, mas disse "Espere um momento", indo para o fundo do escritório consultar um livro. Caroline se encostou no balcão e decidiu que não serviria de nada entrar em pânico, só faria com que se sentisse mais enjoada... Muito enjoada.

E então percebeu que tudo voltara — a velha náusea e a dor em fisgada no estômago. Desta vez os sintomas chegaram de repente, pegando-a completamente de surpresa, como um monstro horrível que estivera esperando o tempo todo que ela virasse a esquina para saltar. Tentou ignorar a sensação, mas era tão forte que não dava para ignorar. Foi aumentando com uma velocidade assustadora, como se fosse um grande balão que alguém estivesse enchendo de ar. A dor era enorme e tão intensamente agonizante, que não sobrou lugar na sua consciência para mais nada. De repente, ela era toda feita de dor, uma dor que se estendia até o horizonte mais distante. Caroline fechou os olhos e sentiu um som, tipo o soar distante de uma sirene de alarme.

E então, quando achou que não poderia agüentar mais, a sensação começou a diminuir, saindo lentamente para fora dela, como se fosse algum adereço que estivesse retirando do corpo. Depois de algum tempo, abriu os olhos, e se viu encarando diretamente o rosto da recepcionista, que parecia horrorizada. Ficou pensando quanto tempo teria ficado naquele estado, ali, de pé, diante dela.

— Você está se sentindo bem?

— Sim... — Caroline tentou sorrir, mas seu rosto estava molhado de suor. — Acho que é indigestão. Já aconteceu antes. Agora, então, com a caminhada...

— Vou pegar um copo d'água. É melhor você se sentar.

— Já estou bem.

Mas algo estava errado com o rosto da mulher. Ele avançava e recuava em um borrão indistinto. Aparentemente, estava falando. Caroline podia ver a sua boca abrindo e fechando, mas não ouvia nenhum som saindo-lhe dos lábios. Esticou o braço e agarrou a ponta do balcão, mas não adiantou nada, e a última coisa da qual ela se lembra foi o padrão colorido do carpete balançando e crescendo, até atingi-la com um ressonante barulho na parte lateral da cabeça.

5

Oliver não conseguiu chegar de volta à Fazenda Cairney antes de quatro e meia da tarde. Estava cansado. Duncan Fraser, além de oferecer-lhe um almoço farto e demorado, insistira em discutir todos os aspectos e detalhes financeiros e legais sobre a posse da fazenda. Nada ficara de fora na conversa, e a cabeça de Oliver estava como que submersa, com tantos fatos e estimativas. O tamanho exato da área, em acres, o valor da produção e das safras, o número de cabeças de gado, o valor dos chalés e das construções utilitárias, o estado de conservação dos galpões e celeiros. Tudo isso era necessário, é claro, mas Oliver achou a conversa torturante, e fez o longo caminho de volta para casa, através da tarde que começava a escurecer, em um estado de inevitável depressão. Começava a compreender a verdade; ao vender Cairney, mesmo para Duncan, era inegável que estava desistindo de uma parte de si mesmo, e cortando todas as últimas conexões que o levavam de volta aos tempos felizes da juventude.

O conflito interior acabara por drenar-lhe toda a energia. Sua cabeça doía, e ele não conseguia pensar em nada além do santuário representado pela sua casa, o conforto de sua poltrona, a reconfortante lareira e, possivelmente, uma tranqüilizadora xícara de chá.

A casa jamais lhe parecera tão segura antes, tão acolhedora. Contornando o caminho que passava pela entrada principal no Land-Rover e levando-o até a garagem, onde o deixou estacionado, entrou finalmente em casa pela porta da cozinha. Encontrou a Senhora Cooper passando roupas, mas com o olhar pregado na porta. Quando Oliver apareceu, ela soltou um suspiro de alívio e colocou o ferro de volta no suporte, com uma pancada grave e pesada.

— Ah, Oliver, estava rezando para que fosse você! Ouvi o som do carro e estava ansiosa para que você chegasse.

Algo em seu rosto fez Oliver perguntar, com cuidado:

— Aconteceu alguma coisa?

— É a irmã do menino... Saiu para dar uma volta, mas não voltou até agora, e já está quase anoitecendo.

Oliver ficou ali de pé, ainda com o sobretudo, digerindo lentamente essa pequena informação pouco bem-vinda.

— Quando foi que ela saiu?

— Logo depois do almoço. Não que ela tenha comido alguma coisa, ficou apenas ciscando no prato, aqui e ali. Toda a comida que ela botou para dentro não dá para manter sequer uma formiguinha viva.

— Mas já são... mais de quatro e meia.

— Isso mesmo.

— Onde está Jody?

— No quarto dos brinquedos. Está bem, não parece preocupado. Acabei de levar chá para aquele anjinho.

— Mas para onde é que ela foi? — perguntou Oliver, franzindo a testa.

— Não me disse. "Vou dar apenas uma volta por aí", foi tudo o que falou. — O rosto da Senhora Cooper estava marcado pela ansiedade. — Você acha que alguma coisa pode ter acontecido com ela?

— Não me surpreenderia! — disse Oliver, com um tom amargo. — É tão tola que seria capaz de conseguir se afogar em uma poça d'água.

— Ah, pobrezinha...

— Pobrezinha nada!... Um tremendo aborrecimento, é isso que ela é — desabafou, de forma brusca.

Foi direto até a escada dos fundos, pensando em falar com Jody, para ver se ele sabia de mais alguma coisa. Nesse momento, porém, o telefone tocou. O primeiro pensamento de Oliver foi o de que, finalmente, as linhas telefônicas haviam sido consertadas. A Senhora Cooper, porém, colocou as mãos sobre o coração e falou:

— Talvez seja a polícia!...

— Não, provavelmente não é nada disso — disse Oliver, que mesmo assim se movimentou mais rapidamente do que de hábito, saindo da cozinha e indo até a biblioteca para responder ao chamado do telefone.

— Cairney! — atendeu ele, quase esbravejando.

— Por favor, é da Fazenda Cairney? — A voz era feminina e parecia muito refinada.

— Sim, é daqui, sim. É Oliver Cairney quem está falando.

— Ahn... Senhor Cairney, aqui é a Senhora Henderson. Estou falando do Hotel Strathcorrie.

— Sim?

— Temos uma jovem aqui em nosso hotel. Veio procurar pelo irmão, que trabalhava em nosso estabelecimento...

Trabalhava?..., pensou Oliver.

— Sim.

— Ela nos disse que está como hóspede na Fazenda Cairney.

— Sim, é verdade.

— Bem, eu acho que talvez fosse aconselhável o senhor vir buscá-la, Senhor Cairney. Ela não parece estar nem um pouco bem de saúde. Desmaiou e depois acabou... passando muito mal do estômago. — Evitou falar "vomitou", como se considerasse isso muito ofensivo.

— Como foi que ela chegou até Strathcorrie?

— Veio caminhando parte do caminho, conforme explicou, e depois pegou uma carona na máquina de limpar neve.

Isso significava que, pelo menos, a estrada até lá estaria desimpedida.

— Onde é que ela está neste momento?

— Eu a coloquei para repousar um pouco... Parecia que não estava nada bem.

— Ela sabe que a senhora me telefonou?

— Não. Achei melhor não contar a ela.

— Fez bem. Não conte mesmo. Não diga nada. Simplesmente a mantenha aí em seu hotel até eu chegar, por favor.

— Claro, Senhor Cairney. Sinto muito.

— Não há por que se sentir desconfortável. A senhora fez muito bem em ter ligado. Estávamos todos preocupados com ela por aqui. Muito obrigado. Estarei aí o mais rápido possível.

Caroline estava dormindo quando ele chegou. Na verdade, não exatamente dormindo, mas suspensa naquele delicioso estado entre estar dormindo e estar acordando; quente e confortável, sob o toque macio dos cobertores. Esse estado durou apenas até o momento em que o som grave da voz de Oliver cortou o seu devaneio como uma faca. Em um segundo, se sentiu instantaneamente acordada, totalmente ligada e com a mente alerta. Lembrou-se de ter dito que tinha vindo de Cairney e xingou sua língua comprida. A dor, no entanto, desaparecera, e o sono a refrescara, de modo que, quando Oliver Cairney, sem sequer dar uma batidinha educada na porta, irrompeu no quarto, Caroline já estava preparada para ele, com todas as suas defesas levantadas.

— Ora, que pena!... — disse ela, tentando parecer casual. — Você teve todo esse trabalho de vir até aqui e no entanto não há nada de errado comigo. Veja só! — E se sentou na cama. — Estou perfeitamente bem! — Oliver estava usando um terno com o sobretudo cinza e uma gravata preta. Isso a fez lembrar de imediato de seu irmão morto, e a levou, de repente, a começar a falar um pouco mais depressa. — Foi apenas uma caminhada muito longa e cansativa. Quer dizer, não foi assim tão longa, porque peguei uma carona com a máquina limpa-neve no meio do caminho. — Ele bateu a porta do quarto dela, com força, e foi até a grade na beira da cama.

— Você trouxe Jody com você? — perguntou ela, querendo parecer animada. — Porque nós podemos ficar aqui. Há quartos vagos, e seria melhor se esperássemos por Angus aqui, até ele voltar. Ele está fora, sabe?... Mas é só por mais alguns dias. Saiu com uma senhora americana que...

— Cale a boca! — cortou Oliver. — Ninguém jamais

falara nesse tom de voz com Caroline, que se calou imediatamente. — Eu disse a você para ficar sentadinha me esperando em Cairney, até eu voltar.

— Mas eu não pude fazer isso.

— E por que não?

— Porque Jody me contou tudo a respeito do seu irmão. Ele soube pela Senhora Cooper. Foi tão terrível que tivéssemos aparecido assim de repente, logo nessa hora... Sinto terrivelmente... Eu não sabia...

— Como poderia saber?

— ... mas em um momento assim...

— Não faria diferença, de um jeito ou de outro — disse Oliver, bruscamente. — Como é que você está se sentindo agora?

— Perfeitamente bem.

— Mas você desmaiou!... — Isso soava como uma acusação.

— Pois é! Uma coisa tão boba. Eu nunca desmaio...

— Você nunca come, esse é que é o problema. E, se você escolheu ser assim tão tola, merece desmaiar. Agora pegue o casaco, que vou levá-la imediatamente para casa.

— Mas eu já disse que podemos muito bem ficar hospedados neste hotel. Vamos esperar por Angus aqui.

— Vocês vão esperar por Angus em Cairney! — E foi até a cadeira para pegar a capa de chuva.

— E se eu não quiser ir? — Caroline franziu a testa. — Não sou obrigada a voltar com você.

— E se você fizer pelo menos uma vez na vida aquilo que lhe mandam, hein?... E se você ao menos esta vez pensar em outras pessoas além de si mesma? A Senhora

Cooper estava branca como um papel quando eu cheguei, imaginando toda espécie de desgraças terríveis que poderiam ter acontecido com você.

— E Jody? — perguntou ela, com uma súbita fisgada de culpa.

— Ele está bem. Deixei-o assistindo televisão. E então, você vem ou não?

Não havia nada a fazer. Caroline levantou-se da cama, deixou que Oliver a ajudasse a colocar a capa, encaixou os pés dentro das imensas botas de borracha e depois o seguiu docilmente escada abaixo.

— Senhora Henderson!

Surgindo do escritório, ela permaneceu atrás do balcão de forma profissional e adequada a uma recepcionista.

— Ah, o senhor encontrou a menina, Senhor Cairney, que bom! — Levantou a tampa do balcão e saiu para juntar-se a eles. — Como está se sentindo agora, querida?

— Estou bem. — E acrescentou, como se tivesse lembrado depois. — Muito obrigada! — Apesar de ser difícil perdoá-la pelo fato de ter telefonado para chamar Oliver.

— Não foi nada. E quando Angus voltar...

— Avise-lhe que a irmã está em Cairney — completou Oliver. — Por favor...

— É claro. Fico feliz por ver que você está se sentindo melhor.

Caroline foi andando para a porta. Atrás dela, Oliver agradeceu à Senhora Henderson mais uma vez, por tudo. Logo depois, eles já estavam juntos do lado de fora do hotel, iluminados pelo crepúsculo frio, na temperatura suave, embora enfrentando um forte vento. Caroline já estava com o pé sobre o apoio da porta, pronta para entrar no Land-Rover e sentindo-se derrotada.

Fizeram todo o caminho de volta em silêncio. O prometido degelo transformara a neve em lama derretida e a estrada acima do morro estava, comparativamente, mais limpa. Acima deles, imensas nuvens cinza iam sendo carregadas para longe por um forte vento oeste que deixava espaços de céu brilhante com cor de safira. Através da janela aberta do Land-Rover entrava o cheiro de mato e de turfa úmida. Pequenos maçaricos levantavam vôo nas margens cheias de juncos de um lago próximo, e de repente começou a parecer possível que as árvores nuas estariam em breve dando brotos, e a tão aguardada primavera chegaria, afinal.

Caroline se lembrou de repente daquela noite em Londres, a caminho do Arabella's no carro de Hugh. Lembrou-se das luzes da cidade refletidas no céu, com um tom alaranjado, e de como ela baixara o vidro da janela e deixara o vento soprar pelos seus cabelos, desejando estar no campo. Isso tudo acontecera há apenas três ou quatro dias e, no entanto, parecia que já se passara uma vida inteira. Como se fosse algo que tivesse acontecido com outra pessoa, em outra época completamente diferente.

Uma ilusão. A realidade é que ela era Caroline Cliburn, com uma centena de problemas pendentes diante de si. Era Caroline Cliburn e teria que voltar para Londres, antes que acontecesse um escândalo. Era Caroline Cliburn e estava de casamento marcado com Hugh Rashley. Na próxima terça-feira.

Essa era a realidade dela. Para tornar a imagem ainda mais verdadeira, pensou na casa em Milton Gardens, abarrotada com os presentes de casamento que teriam chegado. O vestido de noiva, pendurado no armário, esperando por ela. Os organizadores do bufê chegando com suas mesas dobráveis e toalhas brancas duras, engomadas, em tecido adamascado. Pensou nas taças de cristal transparentes, empilhadas como bolhas de sabão, nos buquês imensos de gardênias, no espocar das rolhas saindo das garrafas de champanhe e nos clichês dos discursos. E lembrou também de Hugh, que tinha tanta consideração por ela, aquele Hugh tão organizado, tão correto, que jamais levantara, mesmo de leve, a voz para ela, e muito menos a mandaria calar a boca.

Era isso que ainda doía. Indignada com a lembrança desse momento, ela deixou seus ressentimentos se acumularem. Ressentimento com Angus, por tê-la deixado na mão justamente no momento em que mais precisava dele. Estava circulando por aí em um carro, trabalhando para uma madame americana velha e gorda, sem deixar endereço, sem data de retorno, sem nada definido. Ressentimento com a Senhora Henderson, com seus óculos cheios de *strass* e seu ar de servil eficiência, ligando para Oliver Cairney, justamente quando a última coisa que Caroline queria era que ele continuasse interferindo. E, por fim, ressentimento com o próprio Oliver, um homem autoritário que resolvera assumir todos os seus problemas, muito mais do que o simples dever de hospitalidade poderia justificar.

O Land-Rover seguia seu caminho, já no alto do monte, e a estrada à frente era agora toda em descida, e os levaria de volta direto a Cairney. Oliver reduziu o motor para uma marcha mais baixa e os pneus "agarraram" com mais força na neve que derretia. O silêncio entre eles era pesado, impregnado de desaprovação. Seria bom se ele dissesse algo. Qualquer coisa. Toda a mágoa dela se concentrou em um foco de irritação que era dirigido agora unicamente a ele. A sensação foi aumentando, até que não podia mais ser contida, e ela falou afinal, de modo gélido:

— Isso é ridículo!

— O que é ridículo? — A voz fria dele combinava com a dela.

— Toda esta situação. Tudo.

— Eu não sei o suficiente a respeito desta "situação", como um todo, para fazer algum comentário. Na verdade, tirando o fato de saber que você e Jody apareceram de repente lá em Cairney, no meio de uma nevasca, continuo completamente no escuro.

— É que não é da sua conta! — disse Caroline, sentindo a frase sair mais rude do que planejara.

— Mas é da minha conta impedir que o seu irmão não seja obrigado a sofrer mais ainda, por outra das suas idiotices.

— Se Angus estivesse em Strathcorrie...

— Isso é hipotético!... — cortou ele, sem a deixar terminar a frase. — Ele não estava lá! E eu estou com a ligeira e estranha impressão de que você não ficou assim tão surpresa com esse fato. Que tipo de sujeito ele é, afinal? — Caroline ficou calada, sem responder, mantendo o que ela imaginava ser um silêncio digno. Oliver, então, disse com um tom de voz convencido de quem já compreendera toda a situação:

— Já entendi!...

— Não, você não entendeu, não! Você não sabe nada a respeito dele. Você nem ao menos tentaria entender.

— Ora, cale a boca! — disse Oliver, de forma imperdoável, pela segunda vez. Caroline virou o rosto para o outro lado e ficou olhando para fora da janela, na tarde que escurecia. Naquela posição, ele não poderia ver nem imaginar as fisgadas brilhantes das lágrimas que começavam a aparecer em seus olhos.

Sob a luz do anoitecer, a casa parecia altaneira, com luzes amareladas filtradas pelas cortinas cerradas. Oliver parou o Land-Rover na porta e saltou. Devagar e com alguma relutância, Caroline desceu do carro também, seguindo-o pelos degraus acima e passando por ele, que ficou de lado mantendo a porta aberta para que ela entrasse. Sentindo-se como uma criança desobediente que sofrera uma reprimenda, nem sequer olhou para ele. A porta se fechou com um som seco às suas costas e, de repente, como se o barulho tivesse sido um sinal, a voz de Jody soou vinda de algum lugar. Uma porta se abriu, seus passos chegando pelo corredor que vinha da cozinha. Apareceu correndo e então parou petrificado quando viu que apenas duas pessoas estavam ali. Seus olhos correram para a porta atrás de Caroline e depois de volta para seu rosto. O menino estava completamente rígido.

— E Angus?... — perguntou o menino, que estivera esperando todo o tempo que Caroline trouxesse Angus para Cairney. Ela então lhe explicou, odiando-se por ter que falar isso:

— Angus não estava lá.

— Você não o encontrou na cidade? — perguntou Jody de forma casual, após um pequeno silêncio.

— Bem, ele esteve lá, trabalhando no hotel. Mas teve que viajar por alguns dias. — E continuou, tentando parecer confiante: — Mas ele vai voltar, em um ou dois dias. Não há com o que se preocupar.

— Mas a Senhora Cooper disse que você estava doente.

— Não, não estou — disse Caroline, depressa.

— Mas ela falou...

— O que está errado com a sua irmã... — interrompeu Oliver — é que ela nunca faz o que lhe dizem e jamais se alimenta o suficiente. — Parecia profundamente irritado. Jody o observou enquanto desabotoava o sobretudo de *tweed* e o pendurava na ponta do corrimão da escada. — Onde está a Senhora Cooper?

— Na cozinha.

— Vá até ela e diga que está tudo bem. Trouxe Caroline para casa e ela agora vai direto para a cama. Vai jantar e amanhã estará nova em folha. — Vendo que Jody ainda hesitava, Oliver foi até ele, direcionou o seu corpo para a cozinha e deu-lhe um pequeno empurrão de incentivo na direção de volta de onde ele viera. — Pode ir. Não há motivo para preocupação. Eu lhe garanto.

Jody saiu. A porta da cozinha se abriu e fechou, a distância, e eles ouviram sua voz ao longe dando a mensagem à Senhora Cooper. Oliver virou-se para Caroline.

— E agora... — disse ele, de uma forma falsamente agradável. — Você vai subir até o seu quarto, se enfiar na cama e esperar pela Senhora Cooper, que vai lhe levar algo para comer em uma bandeja. É muito simples.

O tom em sua voz reacendeu em Caroline uma antiga tendência para ser teimosa. Uma teimosia que fizera, de vez em quando, com que ela conseguisse que as coisas corressem do seu modo, na infância. Foi o que tinha derrubado as objeções de sua madrasta quando ela quis entrar para a escola de teatro. Hugh, provavelmente, reconhecera bem cedo essa característica sua, pois sempre mostrara muito tato na sua maneira de lidar com ela, usando a persuasão apenas até chegar a um certo ponto, fazendo sugestões casuais e sempre a levando por um cordão fino, quando ela se recusava a ser obrigada a fazer algo que não desejava.

Agora, ela estava pensando seriamente na possibilidade de fazer uma terrível cena final desse tipo, ali. Como Oliver, porém, continuava parado, esperando, implacavelmente educado, sua decisão começou a enfraquecer. Tentando achar desculpas para a sua rendição, disse para si mesma que estava cansada, cansada demais para mais brigas. Além disso, a imagem da cama, o calor e a privacidade do quarto lhe pareceram, de repente, extremamente convidativos. Sem dizer uma palavra, afastou-se de Oliver e subiu as escadas, um degrau de cada vez, lentamente, com a mão se arrastando inerte por toda a extensão do corrimão comprido e bem-polido da escadaria.

Após ela subir, Oliver voltou à cozinha, onde encontrou a Senhora Cooper preparando a janta para Caroline e Jody, sentado à mesa limpa e bem-escovada, tentando montar um quebra-cabeça antigo que, quando pronto, formaria a figura de uma antiga locomotiva a vapor. Oliver, olhando para o brinquedo, lembrou-se de quando o montara, com sua mãe e Charles ajudando, tantos anos atrás. Matando o tempo através de tardes de temporal, esperando a chuva passar para que eles pudessem sair e brincar lá fora novamente. Debruçando-se sobre o ombro de Jody, disse:

— Está fazendo um grande trabalho!

— É... Só que não consigo encontrar aquela peça ali, com o azul do céu e um pedacinho na ponta, com galhos. Se eu conseguisse encontrá-la, poderia juntar estes dois pedaços grandes.

Oliver se curvou e começou a procurar pela peça, que deveria estar escondida bem no meio das outras. Do fogão, a Senhora Cooper perguntou:

— E a jovem, está bem, afinal?

— Sim, está melhor. Já foi para a cama. — Oliver não levantou a cabeça.

— O que aconteceu com ela? — Era Jody quem perguntava.

— Ela desmaiou e depois acabou vomitando.

— Eu odeio quando vomito.

— Eu também... — riu Oliver.

— Estou coando uma pequena tigela de sopa bem rala para ela — disse a Senhora Cooper. — Quando a gente não está bem do estômago, não deve comer nada muito pesado.

Oliver fez que sim com a cabeça, concordando que, de fato, a gente não deve. Fez então aparecer do nada a peça que faltava, e a entregou a Jody.

— Será que é esta? — perguntou.

— É ela mesmo — Jody ficou encantado com a esperteza de Oliver. — Puxa, obrigado. Eu já tinha olhado para essa peça um monte de vezes e não percebi que era a certa para juntar aqueles pedaços. — Olhou para cima e sorriu. — Ajuda bastante quando há duas pessoas trabalhando juntas na montagem, não é? Você vai continuar me ajudando?

— Bem, neste instante pretendo tomar um banho e depois preparar um drinque. Mais tarde, jantamos juntos, você e eu. Depois da janta, então, vamos ver se conseguimos terminar o quebra-cabeça.

— Ele era seu?

— Era... Era meu ou do Charles... Não me lembro de quem era.

— É um tipo engraçado de trem.

— Locomotivas a vapor eram esplêndidas. Faziam um barulho magnífico.

— Eu sei. Já vi em filmes.

Oliver tomou banho, vestiu-se e já estava a caminho das escadas, indo para a biblioteca em busca do drinque que se prometera, quando se lembrou, sem mais nem menos, de que estava sendo esperado para jantar, naquela mesma noite, em Rossie Hill. O choque da lembrança, entretanto, não foi tão grande quanto o sentimento de surpresa por ter se esquecido do compromisso de forma tão completa. No entanto, apesar do fato de ter visto Duncan Fraser na hora do almoço, e de terem comentado sobre o jantar marcado, os acontecimentos frenéticos do final da tarde e início da noite tinham acabado por levar os planos do compromisso social para longe de seus pensamentos.

E agora já eram sete e meia e ele estava de banho tomado e todo vestido, mas não com uma roupa formal. Usava um suéter velho, de gola pólo, e surradas calças de veludo. Por um momento ele hesitou, mordendo o lábio inferior e pensando no que deveria fazer. Seu pensamento, porém, finalmente pendeu para a imagem de Jody, que tinha passado a tarde toda sozinho, cheio de expectativas, e a quem Oliver prometera companhia para a noite e ajuda na montagem do quebra-cabeça. Isso resolvia tudo. Indo até a biblioteca, pegou o telefone e ligou para Rossie Hill. Após um momento, a própria Liz atendeu ao telefone.

— Alô?

— Liz.

— Ah, Oliver? Você está ligando para avisar que vai se atrasar um pouco? Olhe, se é por causa disso não se preocupe, porque eu me esqueci de colocar o faisão no forno um pouco mais cedo, e também estou toda atrasada. Além disso...

— Não, eu não liguei para isso — interrompeu ele. — Liguei para cancelar. Não vai dar para eu ir jantar aí.

— Mas... Eu... Papai disse que... — E em seguida numa voz um pouco diferente. — Você está passando bem? — Ela fazia parecer que ele ficara maluco de repente. — Você não está doente, ou algo assim?

— Não, nada disso. Simplesmente eu não vou poder ir. Depois eu explico...

— Por acaso... — começou ela, com a voz subitamente fria ... isso não tem nada a ver com a jovem e o menino que você está hospedando aí em Cairney, tem?

Oliver ficou surpreso. Ele não comentara nada com Duncan a respeito dos Cliburn. Não que tivesse a intenção de cancelar o jantar, mas simplesmente porque havia outros assuntos mais importantes a discutir.

— Como é que você soube deles? — perguntou.

— Ah... A velha corrente de boatos que corre pelo

vale. Você sabe, a nossa Senhora Douglas é cunhada da Senhora Cooper. Por aqui, não dá para manter nenhum segredo por muito tempo, Oliver. Você já devia saber disso depois de tanto tempo.

Ele se sentiu vagamente incomodado, como se ela o estivesse acusando de estar tentando esconder algo.

— Não há segredo algum — respondeu.

— Eles ainda estão aí?

— Sim.

— Hummm... Tenho que ir aí uma hora dessas para investigar tudo isso. É muito estranho.

Ignorando a insinuação em sua voz, ele preferiu encerrar o assunto, dizendo:

— Você me perdoa por ser tão mal-educado esta noite, cancelando tudo assim em cima da hora?

— Não importa. Essas coisinhas sem importância acontecem de vez em quando. Significa apenas que vai sobrar mais faisão para mim e para o papai. Venha outra noite qualquer.

— Se você me convidar.

— Estou convidando agora. — Sua voz ainda estava seca. — Tudo o que você tem a fazer, quando tiver organizado a sua agenda social, é me dar uma ligada avisando o dia.

— Vou fazer isso! — disse Oliver.

— Tchau, então.

— Até logo.

Mas antes que o final das palavras de despedida tivessem saído de sua boca, ela já havia desligado. Ficara aborrecida com ele, e com certa razão. Oliver pensou, com um pouco de pesar, naquela mesa de jantar cuidadosamente preparada, as velas, o faisão e o vinho.

Um jantar em Rossie Hill não era jamais, em hipótese alguma, algo para ser desperdiçado. Praguejou baixinho, detestando todo o dia que passara, torcendo para que acabasse logo. Serviu-se de um drinque, um pouco mais forte que o usual, adicionou um pouco de soda, entornou um pouco da bebida distraidamente pela garganta e, então, sentindo-se remotamente mais confortado, foi procurar Jody.

Só que não conseguiu chegar até o menino. Em vez disso, encontrou-se no corredor com a Senhora Cooper, que carregava uma bandeja. Havia uma estranha expressão em seu rosto, quase furtiva, e quando ela o viu, seus passos se apressaram tanto, que conseguiu alcançar e passar pela porta da cozinha antes que ele se aproximasse mais.

— O que houve, Senhora Cooper?

Com as costas encostadas na porta de vaivém da cozinha, ela parou, parecendo angustiada.

— A menina não comeu nem uma colherada, Oliver. — Ele olhou para a bandeja e levantou a tampa da tigela de sopa. O vapor subiu com um cheiro bom de comida, formando uma nuvem. — Fiz de tudo, falei o que você tinha dito, mas ela não quis comer nada. Disse que estava com medo de passar mal de novo.

Oliver tampou novamente a tigela de sopa, colocou o copo de uísque ao lado e pegou tudo das mãos da Senhora Cooper.

— Vamos resolver esse problema — disse.

Ele não estava mais cansado ou deprimido. Estava simples e maravilhosamente zangado. Irritado além de todos os limites. Marchou escada acima, subindo dois degraus de cada vez, seguiu pelo corredor do andar de cima e irrompeu no quarto de hóspedes de Cairney sem sequer dar uma batidinha na porta. Ela estava no meio da gigantesca cama de casal, sob um grosso edredom cor-de-rosa, com vários travesseiros espalhados pelo chão e envolta pela luminosidade suave do abajur em tons de salmão que ficava ao lado, sobre a mesinha-de-cabeceira.

Vê-la assim tão bem acomodada serviu apenas para aumentar-lhe a irritação. Uma jovem que só viera perturbar, que entrara na sua vida, virara tudo de cabeça para baixo, arruinara toda a organização da casa e finalmente estava ali, recostada em uma confortável cama de hóspedes, se recusando a comer e deixando todo mundo louco de preocupação. Atravessou o quarto e pousou a bandeja com força em cima da mesinha-de-cabeceira. A lâmpada do abajur balançou ligeiramente e o uísque dançou no copo, respingando um pouco para fora.

Ainda recostada, ela olhou para ele diretamente, com olhos enormes e os cabelos lisos ligeiramente embaraçados como se fossem meadas de seda misturadas. Sem dizer uma palavra, ele começou a recolher os travesseiros do chão, levantou-a, puxou-a para a frente para colocá-la em uma posição sentada e enfiou os travesseiros embaixo dela, como se ela fosse uma boneca de pano toda mole, incapaz de se sentar por conta própria.

A expressão dela era de completa mudez, o lábio inferior protuberante, como se estivesse inchado, em uma expressão típica de criança mimada. Ele pegou o guardanapo da bandeja e o amarrou em volta do seu pescoço com força, como se tivesse claras intenções de esganá-la. A seguir, levantou a tampa da tigela de sopa.

— Se você me forçar a comer isso, eu posso de repente passar mal e vomitar de novo — disse ela, falando as palavras com clareza.

— E se você vomitar de novo... — disse Oliver, pegando a colher — eu posso de repente bater em você.

— E pretende bater agora mesmo ou só depois que eu me recobrar? — perguntou ela de modo amargo, com o lábio inferior tremendo por causa da injustiça de tal ameaça.

— Agora e depois! — disse Oliver, com brutalidade. — Vamos, abra a boca.

Quando ela obedeceu, mais pela surpresa do que por outro motivo, ele colocou-lhe a primeira colherada na boca. Ao engolir, ela se engasgou ligeiramente, e lançou-lhe um olhar de súplica e reprovação, ao qual ele respondeu com um levantar de sobrancelhas como advertência. A segunda colherada desceu melhor. E a terceira. E a quarta. A essa altura, ela já começara a chorar. Silenciosamente, seus olhos se encheram de lágrimas, transbordaram e escorreram-lhe pelo rosto. Oliver as ignorou, alimentando-a, sem parar, com a sopa. Quando o fundo do prato apareceu, ela já estava com o rosto inundado de lágrimas. Ele colocou a tigela vazia de volta na bandeja e disse, sem a menor benevolência:

— Viu só? Você não vomitou.

Caroline soltou um grande soluço de choro, incapaz de responder alguma coisa. De repente, a raiva de Oliver foi embora e ele ficou com vontade de rir, tomado por uma sensação de divertimento terna e ridícula. A explosão final de sua raiva, como o fim de uma tempestade que clareia o céu, deixara-o limpo por dentro. De um momento para o outro, ele se sentiu mais calmo, mais relaxado, com todos os problemas e frustrações do dia guardados em compartimentos próprios e as perspectivas analisadas de forma correta. Tudo o que sobrou foi aquele quarto acolhedor, tranqüilo, bonito, com o brilho do abajur cor-de-rosa, os restos do uísque no fundo do copo, e Caroline Cliburn, finalmente alimentada e acalmada.

Desamarrou o guardanapo do pescoço dela com toda a gentileza e entregou-lhe, sugerindo:

— Talvez você possa usar isso como um lenço.

Ela lançou-lhe um olhar agradecido e pegou o guardanapo, enxugou o rosto, secou os olhos e, no fim, com força, passou sobre o nariz. Uma mecha de cabelo estava ainda molhada pelas lágrimas, colada na bochecha, e ele a colocou de volta com o dedo, gentilmente, para trás da orelha.

Foi um pequeno ato instintivo, uma ação que visava dar conforto, algo não premeditado, mas o inesperado contato físico deu início a uma reação em cadeia. Por um instante, o rosto de Caroline cobriu-se de surpresa e, depois, de um alívio completo. Como se fosse a coisa mais natural do mundo, ela se lançou para a frente e apertou a testa sobre a lã grossa do seu suéter. Sem pensar no que fazia, ele envolveu-a, colocando os braços em volta de seus ombros magros, puxando-a mais para perto de si, com o alto da sua cabeça sedosa bem junto dele, abaixo do queixo. Conseguiu então sentir a sua fragilidade, seus ossos finos e o bater do seu coração. Depois de algum tempo, disse:

— Agora você vai me contar tudo o que está acontecendo, não vai?

— Sim... — Caroline concordou com a cabeça, batendo com a testa de encontro ao seu peito. — Acho que vou.

E começou por Aphros, onde tudo começara.

— Mudamos para lá quando minha mãe morreu. Jody era um bebezinho, aprendeu a falar grego antes de aprender inglês. Meu pai era um arquiteto, foi para lá para projetar casas, mas os ingleses descobriram Aphros e começaram a querer se mudar para lá. Assim, meu pai acabou sendo uma espécie de corretor de imóveis ou, mais precisamente, um agente que administrava propriedades, revendendo casas e supervisionando as obras enquanto elas eram convertidas e adaptadas às idéias dos novos donos, esse tipo de coisa. Se Angus tivesse sido criado em Londres, talvez fosse uma pessoa diferente, hoje. Não sei. Nós freqüentávamos escolas locais, pois meu pai não tinha dinheiro para nos mandar de volta, para estudar na Inglaterra.

Ela interrompeu a narrativa e começou a tentar explicar como era o irmão, Angus.

— Ele sempre adorou viver uma vida livre como aquela. Meu pai jamais se preocupava conosco, ou com o lugar onde pudéssemos estar. Sabia que, onde quer que estivéssemos, estaríamos a salvo, entre amigos. Angus passava a maior parte do tempo com os pescadores e, quando terminou os estudos, simplesmente continuou em Aphros. Parece que jamais ocorreu a alguém que ele deveria arranjar um emprego. Foi nesse momento que Diana apareceu.

— A sua madrasta.

— Sim. Ela foi para a ilha com planos de comprar uma casa. Procurou o meu pai por indicação de alguém. Foi pedir-lhe para ser seu agente na compra e na possível reforma. Só que jamais chegou a comprar a tal casa, porque, em vez disso, se casou com ele e foi morar conosco.

— Isso fez muita diferença na vida de vocês?

— Para Jody, sim. E para mim. Mas não para Angus. Jamais para Angus...

— Você gostava dela?

— Sim! — Caroline estava fazendo pregas cuidadosas na ponta do lençol, de forma meticulosa e precisa, como se isso fosse uma tarefa planejada e dirigida por Diana, um trabalho que deveria ser realizado sob seus exigentes padrões. — Sim, eu gostava dela. E Jody também. Angus, porém, já estava muito velho para ser influenciado por Diana e... Bem, ela era muito inteligente para tentar influenciá-lo. Foi então que meu pai morreu, e ela decidiu que todos nós iríamos ter que voltar para Londres. Angus, porém, não queria voltar. O problema é que também não queria mais ficar morando em Aphros. Comprou um pequeno automóvel, um Mini Moke usado, e foi para a Índia, atravessando a Síria e a Turquia. Costumávamos receber cartões-postais dele dos lugares mais distantes, e pouca coisa mais.

— Mas então vocês voltaram para Londres?

— Sim. Diana possui uma casa em Milton Gardens. É onde moramos até hoje.

— E Angus?

— Veio nos visitar uma vez, mas não deu certo. Ele e Diana tiveram uma briga horrível, porque ele não queria aceitar o estilo dela: cortar o cabelo, fazer a barba e usar um par de sapatos. Você sabe. De qualquer modo, a essa altura Diana já tinha se casado de novo, com um antigo namorado chamado Shaun Carpenter.

Deixara de ser Cliburn... Passara a ser a Senhora Carpenter.

— E como é o Senhor Carpenter?

— É legal, só que não tem uma personalidade muito forte para enfrentar Diana. Ela faz tudo do jeito dela, manipula as pessoas, todos nós, na verdade. Só que tudo isso é feito da forma mais delicada possível. Ela é diplomática, envolvente e tem muito tato para lidar com as pessoas. É meio difícil de descrever.

— E o que vocês ficaram fazendo durante todo esse tempo em Londres?

— Eu terminei os estudos e depois fui para a escola de teatro. — E olhou para Oliver com a sombra sutil de um sorriso. — Diana não queria isso, é claro. Morria de medo de que eu me tornasse uma *punk* ou algo assim... Ou começasse a usar drogas... Ou ficasse largada por aí como Angus.

— E aconteceu alguma dessas coisas? — riu Oliver.

— Não. Mas ela previu que eu acabaria saindo do curso, e estava certa. Quer dizer, eu entrei para a escola de teatro, tudo bem, até mesmo consegui trabalho em uma peça, profissionalmente, mas então... — E parou. O rosto de Oliver era estranhamente gentil, seus olhos pareciam muito compreensivos. Era o tipo de pessoa com quem se podia conversar. Caroline não havia notado antes o quanto era fácil de se lidar com ele. Até então ele não fizera nada, o dia inteiro, a não ser dar indicações, de todas as maneiras possíveis, de que a achava tola e idiota. Instintivamente, porém, sentiu que ele não a acharia tola simplesmente porque se apaixonara pelo homem errado, e continuou: — Bem, eu me envolvi com um homem. Era burra, imagino... Ingênua... Achei que ele quisesse continuar o envolvimento comigo. O problema é que atores são pessoas que só enxergam o mundo sob sua ótica, ou seja, são criaturas com idéias fixas. Ele só pensava na carreira, era muito ambicioso, seguiu em frente e me deixou para trás. Seu nome era Drennan Colefield, e agora ele é muito famoso. Você já deve ter ouvido falar nele...

— Sim, já ouvi.

— Casou-se com uma atriz francesa. Acho que moram em Hollywood, agora. Ele já tem contrato para uma série de filmes. Enfim, depois de Drennan, tudo deu errado, eu peguei pneumonia e no fim tive que largar tudo. — E voltou a alisar as pontas do lençol.

— E Angus? — Oliver incentivou-a a continuar contando a história, com delicadeza. — Quando foi que ele apareceu na Escócia?

— Jody recebeu uma carta dele há uma ou duas semanas. Mas não me disse nada até domingo passado, à noite.

— E por que era tão importante vir vê-lo de novo, correndo, assim tão de repente?

— Porque Diana e Shaun estão se mudando para o Canadá. Shaun foi indicado para um cargo muito importante lá, e eles estão de mudança marcada para logo depois que... Bem, para muito breve. E vão levar Jody com eles. Jody não quer ir, embora Diana não saiba disso. Ele só contou para mim, e me pediu para vir com ele até a Escócia para nos encontrarmos com Angus. Acha que talvez Angus possa vir morar em Londres e consiga uma casa para eles morarem. Assim, Jody não vai precisar ir para o Canadá.

— E você acha que existe uma possibilidade de que isso aconteça?

— Particularmente, não — disse Caroline, com objetividade. — Mas tinha que tentar. Pelo bem de Jody, eu tinha que tentar.

— E Jody não poderia ficar em Londres, com você?

— Não.

— Por quê?

— Não ia dar certo. — Caroline encolheu os ombros. — De qualquer modo, Diana jamais concordaria. Com Angus seria diferente. Já está com vinte e cinco anos agora. Se quisesse ficar com Jody, Diana não poderia impedi-lo.

— Entendo.

— E foi assim que nós viemos procurá-lo. Pedimos o carro de Caleb Ash emprestado. Ele é um antigo amigo do meu pai, da Grécia, e está morando agora em um apartamento que Diana lhe alugou nos fundos do jardim. Ele gosta muito dela, mas acho que não aprova a forma como Diana organiza tudo à nossa volta, do jeito que ela quer, e dirige nossas vidas. Foi por isso que concordou em nos emprestar o carro, com a condição de que lhe disséssemos para onde estávamos vindo.

— Mas então vocês não contaram os seus planos a Diana?

— Bem... Dissemos que estávamos vindo para a Escócia. Apenas isso. Na verdade, deixamos apenas uma carta para ela. Se tivéssemos dado mais detalhes, ela já nos teria encontrado muito antes de conseguirmos chegar até aqui. Ela é esse tipo de pessoa.

— E ela não vai ficar muito preocupada com vocês?

— Imagino que sim. Mas nós avisamos que voltaríamos na sexta-feira.

— Mas não vão. Isto é, se Angus não voltar até lá...

— É... Eu sei.

— Você não acha que seria uma boa idéia telefonar para ela?

— Não, ainda não. Pelo bem de Jody, não devemos.

— Mas estou certo de que ela compreenderia.

— De certo modo, mas não completamente. Se Angus fosse um tipo de pessoa diferente... — Sua voz se arrastou, diminuindo com o desânimo.

— Então, o que é que nós vamos fazer?

— Não sei... — Mas o "nós" que Oliver dissera a desarmou, a expressão de desespero sumiu do seu rosto e ela continuou, com esperança: — Podemos esperar?

— Por quanto tempo?

— Até sexta-feira. E então, eu prometo, telefonamos para Diana e voltamos para Londres.

Oliver ficou calado, considerando a proposta, e depois, com um pouco de relutância, concordou.

— Mas isso não quer dizer que eu aprove... — apressou-se em completar.

— Não é novidade nenhuma! — Caroline riu. — Você tem desaprovado tudo o que se refere a mim, desde o momento em que nós colocamos os pés na sua casa.

— Por bons motivos, você tem que admitir.

— Olhe, o único motivo que me levou a ir a Strathcorrie hoje foi o de ter sabido a respeito da morte recente do seu irmão. Eu não teria saído assim, sem avisar, se não fosse por isso. Estava me sentindo terrivelmente envergonhada, sabendo que aparecemos de repente na sua vida em um momento de tanta tristeza e desespero.

— Não é mais um momento de desespero agora. Está tudo encerrado.

— E o que você vai fazer agora com a sua vida?

— Vender Cairney e voltar para Londres.

— Mas isso não é muito triste?

— Triste, sim, mas não é o fim do mundo. A Fazenda Cairney, do jeito que eu me lembro dela, está dentro da minha cabeça, indestrutível. Não tanto pela casa em si, mas pelas coisas boas que aconteceram nela. Uma base sólida formada de pedaços de recordações de uma vida muito feliz, e todos fortemente ligados. Jamais vou perder isso, mesmo que ainda viva por muitos anos e me transforme em um velho alquebrado com muitos cabelos brancos e poucos dentes.

— Cairney, para você, é como Aphros, então! Aphros é assim, para Jody e para mim. Todas as coisas inesquecíveis que me aconteceram na vida foram boas porque aconteceram em Aphros, ou me fazem lembrar de lá. O sol, as casinhas brancas, o céu azul, o vento que soprava o tempo todo do mar, o cheiro penetrante dos pinheiros, e os gerânios em grandes vasos. — Ela fez uma pausa. — Como era o seu irmão que morreu? Era parecido com você?

— Era uma pessoa muito boa, o sujeito mais legal do mundo, e não era parecido comigo.

— Como era ele?

— Tinha o cabelo vermelho, e se enterrava no trabalho até o pescoço, aqui em Cairney. Era um bom fazendeiro... Era um bom homem.

— Se Angus também fosse assim, as coisas teriam sido tão diferentes...

— Se Angus fosse como o meu irmão, você e Jody jamais teriam vindo até a Escócia procurá-lo, jamais chegariam a Cairney no meio de uma nevasca, e eu jamais teria conhecido vocês.

— Isso não pode ser assim uma coisa tão boa.

— Bem... É, sem dúvida, o que a Senhora Cooper chamaria de uma "experiência nova".

Riram ao mesmo tempo. A risada foi interrompida por uma batida na porta, e quando Caroline disse "Entre!", a porta se abriu devagar e apareceu a cabeça de Jody na fresta.

— Jody!

— Oliver... — E entrou devagar no quarto. — A Senhora Cooper mandou avisar que o jantar está pronto.

— Minha nossa, já é tão tarde assim? — Oliver olhou para o relógio. — Tudo bem, já estou descendo.

Jody foi andando até o lado da cama da irmã e perguntou:

— Você está se sentindo melhor agora?

— Sim, muito melhor.

— Como é que você está indo com a montagem do quebra-cabeça? — perguntou Oliver, se levantando e pegando a bandeja, enquanto caminhava em direção à porta.

— Completei mais um pedaço da figura, mas não fiz muito depois daquela hora.

— Vamos sentar lá, nem que leve a noite toda, até terminarmos. — E virou-se para Caroline. — Você vai dormir agora. Nós nos encontramos de manhã.

— Boa-noite — disse Jody.

— Boa-noite, Jody.

Depois da saída deles, Caroline desligou o abajur. A luz das estrelas brilhava ao fundo da janela, que estava com a cortina entreaberta. Ouviu-se o pio solitário de um maçarico na noite, e uma rajada súbita de vento circulou, movimentando as pontas dos pinheiros. Caroline já estava quase dormindo, mas, antes de finalmente se deixar adormecer, dois importantes e intrigantes pensamentos lhe passaram pela cabeça.

O primeiro era que, depois de todo aquele tempo, seu caso com Drennan Colefield estava finalmente encerrado. Ela conversara a respeito dele, pronunciara seu nome, mas a magia acabara totalmente. Sua presença ficara no passado, morta e enterrada, e era como se um imenso peso estivesse sendo retirado dos seus ombros. Sentia-se livre novamente.

O segundo pensamento era ainda mais estranho. É que, embora ela tivesse contado a Oliver tudo sobre a sua vida, não conseguira sequer mencionar o nome de Hugh. Ela sabia que deveria haver uma razão para isso... Sempre havia uma razão para tudo... Só que Caroline já estava dormindo antes de ter tempo de tentar descobrir qual poderia ser.

6

Na manhã seguinte, já era abril e a primavera chegara. De maneira repentina, a nova estação surgira. O vento diminuíra, o sol se levantara e brilhava em um céu sem nuvens. O barômetro subira e a temperatura se elevara com ele. O ar estava perfumado e agradável, suave, com cheirinho de terra recém-arada. A neve derretera por completo, exibindo punhados de florzinhas do tipo campainha-branca e minúsculas flores de açafrão ainda tímidas. Sob as faias estendiam-se tapetes coloridos pelo amarelo-vivo dos acônitos. Os pássaros cantavam, as portas permaneciam abertas para dar as boas-vindas ao calor, as roupas estendidas em varais se enfunavam, revelando cortinas, cobertores e outros indícios da limpeza de primavera nas casas.

Em Rossie Hill, às dez horas da manhã, o telefone começou a tocar. Duncan Fraser tinha saído, mas Liz estava na estufa de flores, fazendo um arranjo de brotos de salgueiro entrelaçados com narcisos de caule alto, em um vaso grande. Colocando as tesouras de podar sobre a bancada, ela secou as mãos e foi atender.

— Alô!

— Elizabeth?

Era a mãe, ligando de Londres, parecendo preocupada, e Liz estranhou a ligação. Estava ainda ressentida, sob o efeito da rejeição abrupta de Oliver na véspera, e conseqüentemente aquele não era um de seus melhores dias.

Elaine Haldane, entretanto, não ficaria sabendo de seus sentimentos feridos.

— Filha, eu sei que não é do meu feitio ligar assim logo de manhã cedo, mas estava louca para saber como é que correu tudo ontem à noite. Sei que você jamais me ligaria para contar... E, então, como foi o jantar de ontem à noite?

— Não foi! — disse Liz, com voz resignada, puxando uma cadeira e se atirando, sentada, sobre ela.

— O que quer dizer?

— No último instante, Oliver não pôde vir. O grande jantar acabou não acontecendo.

— Ah, querida, que desapontamento! E eu aqui, aflita, para saber de tudo. Você me pareceu tão empolgada ontem... — E ficou calada, esperando. Ao ver que a filha não parecia disposta a oferecer nenhuma outra informação, continuou, com cuidado: — Vocês dois... não tiveram uma briga ou algo assim, não é?

— Não, claro que não! — respondeu Liz, com uma risada curta. — Ele simplesmente não conseguiu tempo para vir. Estava muito ocupado, acho. Papai e ele almoçaram juntos ontem, e ficaram falando de negócios o tempo todo. A propósito, papai vai comprar Cairney.

— Bem, pelo menos isso vai manter *seu pai* bastante ocupado por algum tempo — disse Elaine, com um tom que denotava irritação. — Mas... Ora, que pena! Coitado do Oliver, que resultado triste para ele. Deve estar passando por um momento muito difícil. Você deve ser muito paciente com ele, querida, e *muito* compreensiva.

Liz não queria mais falar a respeito de Oliver. Para mudar de assunto, perguntou:

— E então, o que está acontecendo por aí, na cidade grande?

— Aqui acontece de tudo. Só vamos voltar para Paris daqui a uma ou duas semanas. Parker está envolvido com um grupo de figurões de Nova York que estão em visita. Assim, temos que ficar por aqui. Mas até que é bom ver pessoas, saber das novidades. Ah... Tem uma que eu *preciso* contar para você. A coisa *mais* extraordinária que aconteceu por aqui.

Liz reconheceu de imediato o tom de fofoca na voz da mãe, e viu que o telefonema iria durar pelo menos mais dez minutos. Acendeu um cigarro e se recostou na cadeira para escutar.

— Você conhece Diana Carpenter e Shaun? Pois bem, os enteados de Diana desapareceram. A palavra é essa, literalmente desapareceram. Tudo que deixaram foi uma carta dizendo que iam para a Escócia (com tantos outros lugares para ir...) encontrar-se com o irmão deles, Angus. É claro que ele é um tipo terrível, meio *punk*, meio *hippie*, assim todo largado. Diana tem cortado um dobrado com ele; vive cheia de preocupações. Parece que o rapaz passa o tempo à procura da sua "verdade interior", indo para a Índia ou sei lá onde esses tipos acham que vão encontrá-la. Para mim, o último lugar do mundo onde ele deveria procurar isso é a Escócia, onde não existe nada além de roupas de *tweed* e miúdos de carneiro, nada esotéricos. Enfim, o que eu sei é que sempre achei Caroline uma jovem meio *esquisita*. Tentou carreira no teatro uma vez, e foi o maior fiasco. Só que nunca pensei que ela seria capaz de fazer algo tão bizarro assim, como simplesmente *desaparecer*.

— O que foi que Diana fez a respeito disso?

— Minha querida, o que poderia fazer? A última coisa que ela quer é a polícia envolvida. Afinal de contas, embora o menino ainda seja uma criança, esperava-se que a irmã fosse adulta... e capaz de cuidar dele. Diana está apavorada com a possibilidade de a imprensa saber da história e a espalhar nas manchetes dos jornais de toda parte. E, como se isso não fosse o bastante, o casamento dela está marcado para terça-feira, e Hugh tem uma certa reputação a zelar.

— Casamento?

— O casamento de Caroline! — Elaine parecia irritada, impaciente por Liz não entender o problema. — Caroline vai se casar com Hugh Rashley, irmão de Diana. Na terça-feira. O ensaio final da cerimônia está marcado para segunda, e eles ainda nem sabem onde a noiva está. É tudo muito terrível. Como já disse, eu sempre achei que ela era um pouco estranha, você não?

— Não sei. Jamais me encontrei com ela.

— Não, acho que não. Eu sempre esqueço, bobagem minha. Mas sabe, filha, eu sempre pensei que ela gostasse muito de Diana. Jamais imaginei que poderia fazer uma coisa dessas com ela. Olhe, querida, você não vai me fazer um papel desses quando estiver para se casar, vai? E vamos torcer para que seja logo, e com o homem certo. Não quero mencionar nomes, mas você sabe o que eu quero dizer. Agora tenho que desligar. Tenho hora no cabeleireiro e vou acabar me atrasando. E... querida, não se torture por causa de Oliver. Vá até lá, converse com ele, seja gentil e se mostre compreensiva. Tenho certeza de que tudo vai acabar bem. Estou com saudades. Volte logo.

— Eu volto.

— Até logo, querida... — E em um adendo pouco convincente: — Mande um beijo para seu pai.

Um pouco mais tarde, naquela mesma manhã, Caroline Cliburn estava deitada com a barriga para cima em uma cama de folhas, com o calor do sol envolvendo-a como se fosse um manto e o braço estendido sobre os olhos para evitar o brilho ofuscante. Assim, sem enxergar, seus outros sentidos estavam muito mais aguçados. Ouvia o canto dos pássaros com mais clareza, o crocitar de um corvo ao longe, o murmúrio das águas, o cochicho de uma misteriosa brisa não sentida na pele. Conseguia sentir o perfume puro e doce dos restos da neve, da água límpida e da terra, coberta de musgo, úmida e escura devido à turfa. Sentia também o focinho gelado de Lisa, a velha cadela labrador deitada a seu lado, que o apertava de encontro à sua mão.

Ao seu lado, Oliver Cairney, sentado e fumando um cigarro, com os braços apoiados nos joelhos e as mãos pendendo entre eles. Observava os esforços de Jody, dentro de um gigantesco barco a remo, bem no meio do pequeno lago, que, por sinal, tinha dois remos compridos demais para o tamanho do menino, tentando manobrá-lo. De vez em quando vinha um barulho um tanto ameaçador do encontro da parte achatada da madeira contra a água. Caroline levantava a cabeça para observar e acabava descobrindo que Jody apenas se embaraçara todo, ou estava fazendo o barco rodar em círculos.

Satisfeita por ver que ele ainda não estava a ponto de se afogar, deitava de volta na cama de folhas e cobria os olhos mais uma vez.

— Se eu não tivesse colocado aquele colete salva-vidas nele — disse Oliver —, aposto que você já estaria correndo para cima e para baixo, na beira do lago, olhando para ele como uma galinha enlouquecida protegendo o pintinho.

— Não, você errou. Eu estaria era lá dentro do barco junto com ele.

— Teríamos, então, dois novatos prontinhos para se afogar.

As folhas começaram a espetar as costas de Caroline através da blusa, e um pequeno inseto anônimo começou a passear, subindo pelo seu braço. Ela se sentou, espantou o inseto e levantou o rosto para o sol.

— Não dá para acreditar, você não acha? Dois dias atrás, Jody e eu estávamos no meio de uma nevasca terrível, e agora um tempo desses. — A superfície do lago continuava parada e clara, lindamente azul, devido ao reflexo de um céu que parecia de verão. Na outra margem ao longe, além dos juncos que a bordejavam, o terreno pantanoso subia em uma série de ladeiras cheias de arbustos de urze, coroados no topo por um afloramento de rocha, como se fosse um farol no cimo de uma montanha. Dava para ver o contorno distante de um rebanho de ovelhas pastando, e ouvir na manhã silenciosa o som de seus queixosos balidos. O barco a remo, tão bravamente conduzido, rangia lentamente através da superfície das águas. Jody estava com o cabelo todo arrepiado na parte de trás, e seu rosto estava começando a ficar vermelho.

— *É* um lugar adorável — disse ela. — Ainda não tinha notado o quanto é lindo aqui.

— Esta é a melhor época. Agora, e por mais um ou dois meses, quando as folhas de faia se abrem, os narcisos aparecem e de repente é verão. E depois, em outubro, tudo fica lindo de novo, as árvores com as folhas todas avermelhadas, como se estivessem em chamas, o céu com um tom de azul muito forte e todos os arbustos de urze ficando roxos.

— Você não vai sentir falta de tudo isso, terrivelmente?

— Claro que sim, mas não há nada que possa ser feito.

— Você vai mesmo vender tudo?

— Vou. — E deixou cair a ponta do cigarro no chão, pisando-a com a sola do sapato.

— Já conseguiu comprador para as terras?

— Já. Duncan Fraser. Ele é meu vizinho. Vive do outro lado do vale; não dá para ver a casa, porque fica atrás daquela fileira de pinheiros. Ele quer a fazenda para juntar com a dele. Vai ser fácil, é só uma questão de arrancar as cercas divisórias.

— E a sua casa?

— Quero vendê-la em separado. Ainda vou ter que conversar com os advogados sobre isso. Prometi que ia até Relkirk esta tarde para vê-los e, quem sabe, pensar em alguma forma para fazermos isso.

— Então você não vai ficar com *nada* de Cairney?

— Você sabe como bater na mesma tecla quando fala de um assunto.

— Os homens são normalmente muito sentimentais a respeito de tradições, de terras.

— Talvez eu seja.

— Mas não se importa de ficar morando em Londres?

— Meu Deus, claro que não. Eu adoro Londres.

— E onde é que você trabalha?

— Em uma companhia chamada Bankfoot & Balcarries. E, se você não sabe o que é isso, esta é uma das maiores firmas consultoras de engenharia do país.

— E onde é que você mora?

— Em um apartamento, perto de Fulham Road.

— É perto de onde nós moramos. — Ela sorriu pensando no quanto eles moravam próximos, sem jamais terem se encontrado. — É engraçado, não é? Londres é tão grande, e no entanto você tem que vir até a Escócia para encontrar o vizinho do lado. É um bom apartamento o seu?

— Gosto dele.

Caroline tentou imaginar o ambiente, mas falhou completamente, porque era impossível imaginar Oliver longe de Cairney.

— O apartamento é pequeno ou grande?.

— Muito grande. Cômodos imensos. Fica no andar térreo de uma antiga casa.

— Você tem um jardim?

— Tenho. Constantemente invadido pelo gato do vizinho. E tenho também uma sala de estar grande, uma cozinha onde eu como, dois quartos e um banheiro. Na verdade, tudo muito bem equipado e confortável. Exceto pelo meu carro, que dorme na rua, exposto ao tempo e se estragando. E, agora, o que mais você quer saber?

— Nada.

— A cor das cortinas? Elas são cor-de-burro-quando-foge. — E colocou as mãos em concha na boca, berrando em direção à água. — Ei! Jody! — O menino parou e olhou em volta, com os remos acima da água, pingando. — Acho que você já aproveitou o bastante. Vamos embora!

— Certo!

— Isso aí! Empurre com o remo esquerdo. Não, o *esquerdo*, seu bobão! Isso... — Oliver colocou-se de pé e caminhou até a beira do pequeno cais de madeira, e ficou ali, esperando que o barco viesse, devagar e espalhando água para todos os lados, até conseguir que ele lhe ficasse ao alcance das mãos. Então, ficou de cócoras para pegar na ponta da corda e puxou o barco até conseguir atracá-lo. Com um sorriso de orelha a orelha, Jody se livrou dos pesados remos, que Oliver pegou enquanto amarrava o barco, e o ajudava a desembarcar. O menino foi correndo pelo cais em direção à irmã, e ela viu que seus tênis estavam encharcados e as calças molhadas até os joelhos. Apesar disso, estava completamente satisfeito consigo mesmo.

— Você esteve muito bem! — incentivou Caroline.

— Teria me dado melhor se os remos não fossem tão grandes. — Estava tentando desfazer os nós do colete salva-vidas e finalmente conseguiu arrancá-lo por cima da cabeça. — Sabe, estive pensando, Caroline... Não seria o máximo se nós pudéssemos ficar aqui para sempre? Tem tudo o que uma pessoa pode querer.

Caroline estivera pensando exatamente a mesma coisa, a pequenos intervalos, por toda a manhã. E então dissera a si mesma, a iguais intervalos, para não ser tão tola. Agora, ela dizia o mesmo para Jody, e o rosto do menino ficou surpreso com a impaciência demonstrada na voz da irmã.

Oliver amarrou a corda no poste de madeira do pequeno cais, colocou os pesados remos sobre os ombros, levou-os até a casa de barcos castigada pelo tempo e os guardou lá. Jody pegou no colete salva-vidas e foi guardá-lo lá também. Fecharam a porta velha e desengonçada e voltaram andando até Caroline, sobre o gramado de primavera, o homem jovem e alto e o menino sardento, com o sol lhes batendo nas costas e o brilho ofuscante da água.

Chegaram e ficaram de pé ao lado dela.

— Vamos levantar!... — disse Oliver, esticando a mão e puxando o braço dela para colocá-la de pé. Lisa, ao lado, se levantou também e ficou abanando a cauda, como se já estivesse esperando por algum passeio agradável que viria.

— Isso tinha que ser uma caminhada para exploração, ou algo parecido — continuou Oliver. — E tudo o que fizemos até agora foi sentar aqui no sol olhando para o Jody, que acabou aproveitando sozinho todo o exercício.

— E, agora, para onde é que nós vamos? — perguntou o menino.

— Tem uma coisa que eu queria mostrar a vocês... É logo ali adiante.

O casal de irmãos o seguiram, em fila indiana, pelas estreitas trilhas para ovelhas que circundavam o lago. Subiram por uma pequena elevação, e a trilha que acompanhava a margem da água fez uma curva repentina, onde mais adiante ficava um chalé quase em escombros.

— É aquilo que você queria nos mostrar? — perguntou Jody.

— Sim.

— Está em ruínas.

— Eu sei. Ninguém mora ali há muitos anos. Charles e eu costumávamos brincar aqui. Uma vez até nos deixaram passar a noite lá dentro.

— Quem morava ali?

— Não sei. Um pastor. Ou alguém que arrendava esta parte da fazenda para produzir alguma coisa. Aquelas muretas ali em frente são velhos cercados para ovelhas, e há um arbusto de sorveira-brava no jardim. Ela dá pequeninas frutas, e as pessoas antigamente costumavam plantar sorveiras perto da porta de casa, porque diziam que trazia sorte.

— Não sei como é essa pequenina fruta.

— Na Inglaterra é conhecida como tramagueira. As folhas têm uma cobertura que parece veludo, e as frutinhas, além de muito pequenas, são em um tom vermelho-vivo, parecidas com aquelas que enfeitam as guirlandas de Natal.

À medida que chegavam mais perto da casa, Caroline notou que ela não estava tão em escombros quanto parecera de longe. Era toda de pedra e tinha conseguido manter um certo ar de solidez. Embora o teto de metal ondulado estivesse caindo aos pedaços e as portas estivessem soltas das dobradiças, dava para sentir que um dia aquela tinha sido uma moradia perfeitamente apresentável e totalmente respeitável, abrigada no pé do monte, com os traços definidos de um jardim antigo ainda visíveis entre as pedras. Seguindo pelos restos da trilha e entrando no chalé pela porta da frente, Oliver prudentemente abaixou a cabeça para passar pelo portal baixo. Havia uma sala grande, com um fogão de ferro ao fundo, completamente enferrujado. No centro, uma cadeira quebrada e, no chão, os restos de um ninho de andorinha. O piso estava todo quebrado, com rachaduras e buracos, e totalmente manchado de sujeira de passarinho, e os raios oblíquos do sol iluminavam a dança infinita de partículas de poeira que circulavam pelo ar.

No canto, ao fundo, uma escada apodrecida levava ao andar de cima.

— Uma residência confortável e distinta, com dois andares — disse Oliver. — Quem quer ir até lá em cima?

— Eu não. — Jody torceu o nariz. Tinha um medo secreto de aranhas. — Vou voltar para o jardim. Quero ver a tramagueira, aquela árvore que traz sorte. Vamos, Lisa, você vem comigo.

Assim, Oliver e Caroline ficaram sozinhos para subir pela escada podre, onde havia mais degraus faltando do que os existentes. Conseguiram subir e chegaram a um sótão cujo chão estava salpicado de pontos de luz que haviam passado pelos pequenos e inúmeros buracos do telhado. As tábuas do chão rangiam, bastante apodrecidas, mas a viga mestra abaixo delas parecia bem sólida. Havia espaço apenas para Oliver ficar em pé, bem no meio do cômodo, com o alto da cabeça a poucos centímetros da trave horizontal do telhado.

Caroline colocou a cabeça para fora, com todo o cuidado, através de um dos buracos maiores do telhado e viu Jody no jardim, lá embaixo, pendurado como um macaco em um dos galhos da tramagueira. Dali dava para ver toda a extensão da curva do lago, o primeiro verde dos campos na fazenda, gado pastando ao longe, e muitas vacas malhadas que pareciam de brinquedo. Além, bem mais ao longe, a linha escura da estrada principal. Ela recuou com cuidado a cabeça, de volta para o sótão, virou o rosto e olhou para Oliver. Ele tinha fiapos de teia de aranha colados no queixo e disse, com sotaque caipira:

— E aí, douna madame?... C'um bocadim de tinta vai ficá bonito pra valer, né não?

— Mas você não faria nada com este chalé, ou acha que ele poderia servir para alguma coisa? Fale sério, o que você acha?

— Falar sério? Não sei. Apenas acaba de me ocorrer que uma reforma seria possível. Acabando de fechar o negócio, com a venda da casa de Cairney, talvez pudesse gastar algum dinheiro para consertar este lugar.

— Mas não tem encanamento para água.

— Isso pode ser instalado.

— E não tem sistema de esgoto.

— Fossa séptica.

— Não tem eletricidade.

— Existem lampiões, velas... Ficaria até mais aconchegante.

— E como seria para cozinhar?

— Fogão a gás.

— E quando você a usaria?

— Nos fins de semana. Nas férias. Poderia trazer meus filhos para cá.

— Não sabia que você tinha filhos.

— Ainda não tenho. Não que eu saiba. Mas, quando me casar, seria uma pequena e bem interessante propriedade rural para ter no patrimônio. Também teria um significado simbólico. Eu poderia dizer que ainda possuía um pedacinho de Cairney. Viu? Isso deixaria o seu coração sentimental mais aliviado.

— Então isso importa para você?

— Caroline, a vida é muito curta para ficar olhando por trás dos ombros. Só serve para você deixar de olhar para a frente, tropeçar e dar de cara no chão. É por isso que eu gosto de olhar sempre para a frente.

— Mas esta casa...

— Foi apenas uma idéia. Achei que isso poderia divertir você. Vamos embora agora; temos que voltar para a Senhora Cooper, ou ela vai pensar que nos afogamos no lago.

Ele desceu a escada primeiro, experimentando com o pé cada um dos degraus remanescentes antes de colocar a força do corpo sobre eles. No final da escada, esperou por Caroline, mantendo a estrutura da escada firme e segurando-a com as mãos. No meio do caminho, porém, ela ficou um pouco atrapalhada, e não conseguia mais subir de volta nem descer. Começou a rir, e ele lhe disse para pular. Ela falou que não podia, e Oliver respondeu que qualquer tolo conseguiria pular daquela altura. Nesse ponto, Caroline já estava rindo tanto que não conseguia fazer mais nada de útil, além de ter perdido a força nas mãos, de tanto rir. Afinal, como era inevitável, escorregou, e ouviu-se o barulho assustador da madeira podre que estalava e se esfarelava; com os degraus que cederam ao seu peso, ela acabou despencando de forma indigna para uma dama, antes de Oliver acabar amparando-a nos braços.

Havia um graveto de urze grudado no seu cabelo louro, o suéter estava quente por causa do sol, e a noite bem-dormida tinha feito com que as olheiras tivessem desaparecido completamente do seu rosto. Sua pele era lisa, macia, e ligeiramente rosada. Seu rosto virou para cima, para olhar para ele, com a boca ainda aberta dos risos. Sem pensar e sem um instante de hesitação, ele curvou a cabeça e a beijou. Subitamente, ficou tudo quieto. Por um instante, ela permaneceu parada e depois, lentamente, colocou as palmas das mãos contra o seu peito e o empurrou com gentileza. O riso desaparecera do seu rosto, e agora havia uma expressão em seus olhos que ele não vira até então.

— Foi só o efeito do dia... — disse ela, por fim.

— O que você está querendo dizer com isso?

— Quero dizer que o que aconteceu agora foi apenas parte de um dia agradável, o efeito do sol, da primavera que chegou.

— E isso faz alguma diferença?

— Não sei.

Ela se afastou dele, para longe dos seus braços, virou-se e começou a caminhar em direção à porta. Ao chegar ali, ficou parada com o ombro encostado no portal e a silhueta recortada contra a luz que vinha lá de fora. Seus cabelos embaraçados formavam uma auréola clara em volta da forma bonita e bem-definida da sua cabeça. Disse, por fim:

— É uma casa adorável. Acho que você deveria mantê-la.

Jody já havia abandonado a tramagueira, atraído

novamente pelas margens do lago, e estava atirando pequenas pedras em ângulo baixo sobre a superfície plácida, tentando fazê-las quicar sobre a água. Isso estava deixando Lisa louca, pois a velha cadela não sabia se deveria lançar-se sobre as pedras, tentando resgatá-las, ou ficar parada ali mesmo onde estava. Caroline arranjou um seixo bem roliço, liso na base, e o atirou com força. Ele pulou três vezes sobre a água antes de afundar, bem adiante.

— Eu queria que você me mostrasse como consegue fazer isso! — Jody parecia furioso. — Vamos, me mostre como é que se faz! — Caroline, porém, já se virara e estava se afastando com alguma rapidez para bem longe dele, pois não queria que o irmão visse seu rosto. Porque simplesmente, naquele momento, ela inesperadamente descobrira o motivo de ter conseguido se livrar da lembrança de Drennan Colefield. E também, o que era ainda mais assustador, compreendia o motivo de não ter contado a Oliver que estava para se casar em poucos dias com Hugh.

Liz, chegando em Cairney, achou tudo quieto demais e aparentemente deserto. Parou o carro na porta, desligou o motor e esperou que alguém saísse para recebê-la. Ninguém apareceu. A porta da casa, no entanto, estava aberta. Assim, ela saltou do carro, entrou, ficou parada no meio do saguão e chamou bem alto o nome de Oliver. Não houve resposta, mas ruídos domésticos começaram a surgir, vindos da cozinha, e, como ela se sentia em casa, seguiu pelo corredor e atravessou a porta de vaivém da cozinha, causando surpresa na Senhora

Cooper, que acabara de vir lá de fora, onde estivera colocando roupas para secar no varal. Fazendo uma cara de espanto, a velha empregada colocou a mão sobre o peito, à altura do coração.

— Liz! Que susto! — Conhecendo Liz desde criança, a Senhora Cooper jamais pensaria em chamá-la de "Senhorita Fraser".

— Desculpe. Não quis assustá-la. Pensei que não havia ninguém em casa.

— Oliver saiu. Ele levou... os outros com ele. — Houve apenas uma hesitação, quase imperceptível, mas Liz pegou a deixa na hora e levantou as sobrancelhas.

— A senhora está se referindo aos visitantes inesperados? Já soube de tudo a respeito deles.

— É... São apenas dois jovens, uma moça com um irmão mais novo. Oliver os levou até o lago, o menino queria ver o barco. — Olhou para o relógio da cozinha. — Devem estar chegando a qualquer momento, pois vão almoçar mais cedo. Oliver tem que ir até Relkirk para resolver mais alguns assuntos com o advogado. Você vai esperar por eles? Quer ficar para o almoço?

— Não, obrigada, não vou almoçar com vocês. Vou esperar por eles um pouquinho. Se não chegarem logo, volto para casa. Só passei para saber como está Oliver.

— Ele está ótimo! — disse a Senhora Cooper. — De certa forma, tudo o que está acontecendo atualmente por aqui tem sido uma coisa boa, e está afastando o pensamento de Oliver da perda que sofreu.

— Tudo isso? — E Liz a incentivou, de modo sutil, a continuar.

— Bem, pelo que sei, o fato de os jovens terem aparecido assim, de repente, com o carro quebrado e sem terem para onde ir.

— Eles vieram de carro?

— Sim, parece que vieram dirigindo desde Londres até aqui. O carro estava em um estado lastimável, caindo aos pedaços, e ainda por cima ficou congelado, depois de passar a noite no tempo, durante a nevasca. Meu marido o levou para a oficina, e eles ligaram hoje cedo para avisar que o serviço já estava pronto. Cooper foi até lá e trouxe o carrinho de volta. Está no galpão, lá nos fundos da casa, prontinho para quando eles quiserem seguir viagem.

— E quando vai ser isso? — Liz procurava manter o tom de voz bem casual e calmo.

— Não sei dizer. Ninguém me falou nada. Ouvi uma conversa sobre um irmão deles que mora em Strathcorrie, mas que está fora no momento, e acho que eles vão querer esperar até que o irmão volte. — E continuou: — Se você conseguir se encontrar com Oliver, ele vai lhe contar tudo com mais detalhes. Eles foram só até o lago. Se você estiver disposta, pode ir até lá e se encontrar com eles no meio do caminho.

— Talvez eu faça isso — disse Liz.

Mas não fez. Saiu da casa novamente, acomodou-se sobre o banco de pedra que ficava embaixo da janela da biblioteca, colocou os óculos escuros, acendeu um cigarro, esticou as pernas e voltou o corpo na direção do sol.

Estava tudo muito calmo e silencioso, assim ela conseguiu ouvir as vozes do grupo no ar quieto da manhã muito antes de eles realmente aparecerem. O caminho do jardim fazia uma curva suave, seguindo uma fileira de faias, e quando eles apareceram nessa curva estavam tão envolvidos na conversa, que não notaram de imediato que Liz estava sentada ali, à espera deles. O menino vinha na frente, e um passo ou dois atrás dele estava Oliver, usando um casaco velho de *tweed*, com um lenço vermelho de algodão amarrado em volta do pescoço. Puxava a jovem pela mão, como se ela tivesse ficado cansada da caminhada e estivesse ficando para trás.

Era ele quem estava falando. Liz ouviu o som de sua voz grossa, mas não conseguiu distinguir as palavras. Então, a garota parou e se abaixou, como se estivesse retirando uma pedra do sapato. Uma comprida cortina de cabelo louro caiu à frente do seu rosto, e Oliver parou também para esperar por ela, paciente, com a cabeça abaixada em sua direção, a mão dela ainda firme segurando a dele. Liz viu isso e de imediato sentiu um certo temor. Era como se estivesse de fora de alguma coisa, como se aqueles três estivessem envolvidos em algum tipo de conspiração contra ela. A tal pedra do sapato foi finalmente removida. Oliver se virou para continuar a caminhada e então colocou os olhos no bonito Triumph azul-escuro estacionado em frente à casa. E viu Liz. Ela jogou o cigarro no chão, pisou-o com a sola do sapato e se levantou, indo ao encontro do grupo para recebê-los. Oliver, no entanto, largou a mão da jovem e se adiantou na frente dos outros, subindo correndo a elevação gramada e encontrando Liz no alto.

— Liz.

— Alô, Oliver.

Ele notou que Liz estava mais bonita do que nunca, com uma calça bufante e uma jaqueta de couro franjada. Tomou-lhe as mãos e as beijou, perguntando:

— Veio me dar uma bronca por ontem à noite?

— Não! — disse Liz de modo direto, enquanto seus olhos procuravam ver, por cima dos ombros dele, o local por onde Caroline e Jody, mais lentamente, vinham subindo pelo gramado. — Eu lhe disse no telefone que fiquei apenas intrigada pela chegada tão súbita de convidados. Vim ver como é que vocês estão.

— Acabamos de vir do lago. — E se virou na direção dos outros. — Caroline, esta é Liz Fraser. Ela e o pai são meus vizinhos mais próximos, e ela é de casa, vive entrando e saindo de Cairney desde que tinha o tamanho de um gafanhoto. Foi a casa dela que eu tentei mostrar a você esta manhã, atrás das árvores. Liz, essa é Caroline Cliburn, e esse é o Jody.

— Muito prazer! — disse Caroline, e se cumprimentaram. Liz retirou os óculos, e foi então, com um certo choque, que Caroline viu a expressão nos olhos da outra jovem.

— Olá! — disse Liz, e então: — Alô, Jody!

— Como vai? — cumprimentou o menino.

— Você está aqui esperando há muito tempo? — perguntou Oliver.

— Dez minutos, talvez — respondeu ela, virando-se para ele e dando as costas para os outros. — Não mais do que isso.

— Vai ficar para o almoço?

— Não. A Senhora Cooper foi muito gentil e me convidou, mas estão me esperando em casa.

— Então pelo menos entre e tome um drinque.

— Não, tenho que voltar. Só parei aqui para dizer olá. — E sorriu para Caroline. — A Senhora Cooper esteve me contando a seu respeito. Disse que vocês têm um irmão que mora em Strathcorrie.

— Ele não mora lá há muito tempo.

— Talvez eu o conheça. Qual é o nome dele?

Sem saber por que, Caroline hesitou em responder. Jody, notando a hesitação, respondeu por ela:

— Ele se chama Cliburn, como nós — disse a Liz. — Angus Cliburn.

Depois do almoço, Oliver, mesmo reclamando da necessidade de, em uma tarde maravilhosa como aquela, ser obrigado a colocar um terno respeitável com camisa social e gravata, entrar no carro, dirigir até a cidade e passar o resto do dia encarcerado em um asfixiante escritório de advocacia, fez o seu papel de forma diligente.

Caroline e Jody o observaram partir e ficaram acenando até ele tomar a alameda. Mesmo depois de o carro ter saído de vista, eles ainda ficaram ali, escutando o barulho do motor e imaginando-o parar no portão antes de pegar a estrada, para depois virar à esquerda, mudar a marcha e acelerar acima e além do monte.

Ele se fora, e eles se sentiram ligeiramente perdidos, sem saber o que fazer. A Senhora Cooper, depois de lavar a louça, enxugá-la e guardá-la, tinha ido para sua própria casa cuidar dos seus afazeres e tirar um punhado de roupa da corda do varal, antes que o dia começasse a esfriar. Jody chutou com desconsolo as pedrinhas da entrada da casa. Caroline o viu fazer isso e, com um olhar carinhoso, sabendo como ele se sentia, perguntou:

— O que você quer fazer?

— Não sei.

— Quer voltar para o lago?

— Não sei. — Ele era naquele momento como qualquer menino que se afastara do melhor amigo.

— Podemos montar outro quebra-cabeça.

— Dentro de casa, não.

— Podíamos trazer uma mesa aqui para fora e ficar montando o jogo no sol.

— Não estou com vontade de montar quebra-cabeça.

Derrotada, Caroline foi se sentar no banco de pedra onde eles haviam encontrado Liz Fraser os esperando naquela manhã. Sentiu que instintivamente seus pensamentos se assustaram com a lembrança daquele encontro. Assim, deliberadamente, resolveu retroceder até aquele instante e analisá-lo, tentando decidir por que motivo ela achara tão perturbadora a aparição súbita daquela jovem.

Afinal de contas, era perfeitamente natural. Aquela era obviamente uma velha amiga, uma vizinha chegada, e parecia ter conhecido Oliver por toda a vida. Seu pai estava comprando Cairney. O que seria mais do que normal ela dar uma passadinha para fazer uma visita social e conhecer os convidados de Oliver.

Mesmo assim, havia alguma coisa ali. Uma violenta carga de antipatia que Caroline tivera no instante em que Liz tirara os óculos escuros e olhara para ela direto nos olhos. Ciúmes, talvez? Poderia até ser, mas ela não tinha nada do que ter ciúmes. Era infinitamente mais atraente do que Caroline, e Oliver parecia ser devotado a ela, de uma maneira óbvia. Ou será que ela talvez fosse simplesmente uma pessoa possessiva, como uma irmã às vezes pode ser? Mas isso ainda não servia para explicar o fato de que ali em pé, conversando com ela,

Caroline tivera a impressão de que estava sendo analisada, camada após camada, como se estivesse sendo despida das roupas da alma, peça por peça.

Jody estava agachado, arrastando pequenos montinhos de cascalho do piso com as mãos, que já estavam acinzentadas com a poeira. De repente, olhou para cima.

— Alguém está chegando! — disse.

Ficaram ouvindo com atenção, e ele estava certo. Um carro tinha diminuído a marcha para entrar pelo portão, na ponta da alameda, e estava agora se aproximando da casa.

— Talvez Oliver tenha esquecido alguma coisa.

Mas não era Oliver. Era o mesmo automóvel Triumph azul-escuro que estivera estacionado do lado de fora da casa, naquela manhã. Estava com a capota abaixada agora, e Liz Fraser, com seus cabelos brilhantes e os óculos escuros, estava ao volante, com uma echarpe de seda em volta do pescoço. Instintivamente, Jody e Caroline se levantaram, e o carro parou a menos de dois metros de onde eles estavam, com uma pequena nuvem de poeira que se levantou das rodas traseiras, provocada pela ação dos freios.

— Olá para vocês... de novo! — disse Liz, desligando o motor.

Jody não respondeu nada. Ficou apenas olhando, e seu rosto estava sem expressão. Caroline respondeu o cumprimento também com um "Olá". Liz abriu a porta e saltou do carro, batendo-a com força atrás dela. Tirou os óculos e Caroline notou que seus olhos não estavam sorrindo, embora sua boca estivesse.

— Oliver saiu?

— Sim, já faz uns dez minutos.

— Trouxe um presente para você... — disse Liz, sorrindo para Jody e se encaminhando para o porta-malas do carro. — Achei que você deveria estar sem muitas opções de coisas interessantes para fazer por aqui. — E fez aparecer um lindo taco de golfe de tamanho pequeno e uma bola profissional. — Costumava ter um pequeno campo de golfe naquela porção reta do gramado ali adiante. Tenho certeza de que se você for até lá conseguirá encontrar os buracos e algumas das marcações do campo. Você gosta de jogar golfe?

— Puxa, obrigado! — O rosto de Jody se iluminou, pois adorava presentes. — Não sei se vou gostar de jogar golfe... Nunca joguei...

— É muito divertido. Um pouco desafiador, mas é ótimo. Por que você não desce até lá e experimenta, para ver se leva jeito?

— Obrigado — repetiu, e saiu correndo. No meio do caminho, parou e virou-se. — Depois que eu aprender, você pode ir até lá para jogar um pouco comigo?

— Claro que sim! Podemos até fazer uma pequena aposta e ver quem vence a partida.

Ele continuou, já chegando ao final da suave descida até o gramado onde ficava o campo. Liz virou-se para Caroline e fez o sorriso sumir completamente, dizendo:

— Na verdade eu voltei para ter uma pequena conversa com você. Podemos sentar ali no banco? É bem mais confortável do que ficar falando aqui, em pé.

E se sentaram, em frente à janela da biblioteca. Caroline com um jeito desconfiado e Liz completamente à vontade, pegando um cigarro na bolsa e o acendendo com um minúsculo isqueiro de ouro.

— Recebi um telefonema de minha mãe — disse ela.

Caroline não tinha nada para comentar a respeito desse pedaço gratuito de informação, mas Liz continuou:

— Você não sabe quem sou eu, não é? Quer dizer, além do fato de ser a Liz Fraser que mora na propriedade vizinha, em Rossie Hill. — Caroline balançou a cabeça para os lados. — Mas você certamente conhece Elaine e Parker Haldane. — Caroline concordou. — Querida, não fique com essa cara... Elaine é a minha mãe.

Pensando em retrospectiva, Caroline não conseguiu imaginar como pudera ter sido tão idiota. Elizabeth... Liz... Escócia... Ela se lembrou daquele último jantar de gala em Londres, Elaine falando o tempo todo sobre Elizabeth. *"Bem, você sabe, há dez anos, quando eu e Duncan ainda estávamos casados, compramos uma fazenda na Escócia."* Duncan, o pai de Liz, o homem que estava querendo comprar Cairney de Oliver. *"E a primeira coisa que Elizabeth fez foi formar amizade com os dois irmãos que moravam na propriedade vizinha... O irmão mais velho... acaba de morrer, em um terrível acidente de carro..."*

E se lembrou de que, no momento em que Jody lhe contara como Charles tinha morrido, algo em sua memória se remexera, subconscientemente, para acabar ficando submerso novamente dentro de seu cérebro, sem ter conseguido chegar à tona.

As peças estavam todas espalhadas à sua frente, como os pedaços do quebra-cabeça inacabado de Jody. Estavam lá, porém, o tempo todo, bem diante do seu nariz, só que ela tinha sido muito burra, ou talvez envolvida demais com os próprios problemas, para juntá-las todas. Então, Caroline disse:

— Eu sempre ouvi sua mãe referir-se a você como Elizabeth.

— É que mamãe e Parker me chamam assim. Já aqui eu sempre fui conhecida como Liz.

— Nunca imaginei... Jamais poderia pensar que fosse você.

— Bem, é isso aí... Coincidências... Um mundo pequeno... Essas coisas. E, como eu lhe disse, minha mãe telefonou esta manhã. — Seu olhar era de quem sabia algo mais.

— E o que foi que ela lhe contou? — perguntou Caroline.

— Bem, creio que ela me contou tudo o que havia para contar. Falou sobre você e... Jody, esse é o nome do menino, ...desaparecendo de repente. Diana alucinada de preocupação, sabendo apenas que vocês tinham vindo para a Escócia e nada mais. E me falou também de um monumental casamento que vai acontecer terça-feira agora. Que você vai se casar com Hugh Rashley.

— Sim... — disse Caroline, com um tom fraco, pois não havia mais nada a dizer no momento.

— Parece que você se meteu numa enrascada.

— É... — respondeu Caroline. — Acho que sim.

— Minha mãe falou que você veio até a Escócia para se encontrar com seu irmão Angus. Isso não foi uma atitude impensada e sem chance de êxito?

— Não pareceu assim na hora. É que Jody estava querendo ver Angus, se encontrar com ele de novo. Diana e Shaun querem levá-lo para morar no Canadá,

Jody não quer ir... E Hugh não quer que Jody fique morando conosco depois do casamento. Sendo assim, só nos restava procurar Angus.

— Mas eu sempre pensei que Angus fosse assim um tipo *punk*, meio *hippie*, não é?

Todos os instintos de Caroline a levavam a pular em defesa do irmão, mas na verdade era difícil encontrar alguma coisa para falar em favor dele. Simplesmente encolheu os ombros, dizendo:

— Ele é nosso irmão...

— E está morando aqui perto, em Strathcorrie?

— Ele trabalha lá. No hotel.

— Mas não está lá no momento.

— Não, mas deve estar de volta no máximo até amanhã.

— E você e Jody vão ficar esperando aqui até que ele apareça?

— Eu... Eu não sei.

— Você me parece em dúvida. Talvez eu possa ajudá-la a tomar uma decisão. Escute, Oliver está atravessando uma fase muito ruim. Não sei se você consegue avaliar a extensão disso. Ele era totalmente devotado a Charles, o idolatrava, eram apenas eles dois no mundo. Agora, Charles está morto, Cairney tem que ser vendida, e é o fim da linha para Oliver. Você não acha que, diante das circunstâncias, seria uma demonstração de consideração se você e seu irmão voltassem logo para Londres? Pelo bem de Oliver? De Diana? E de Hugh?

Caroline não se mostrou derrotada e perguntou:

— Por que é que você nos quer fora do caminho?

— Talvez porque, com tudo isso, vocês sejam apenas um transtorno a mais para Oliver.

— Por causa de você?

— Ora, minha querida... — Liz sorriu. — Oliver e eu nos conhecemos há tanto tempo, somos muito chegados. Mais íntimos do que você possa imaginar. Esse é um dos motivos de meu pai estar comprando Cairney.

— Você vai se casar com ele?

— É claro que sim!

— Ele não me contou isso.

— E por que contaria? Você por acaso contou para ele que vai se casar daqui a poucos dias? Ou talvez seja um segredo? Reparei que você nem está usando um anel de noivado.

— Eu... Eu deixei o anel em Londres. Ele é muito grande e eu fico sempre com medo de perdê-lo.

— Mas Oliver não sabe do casamento, sabe?

— Não.

— Engraçado você não ter contado para ele. Afinal, de acordo com o que minha mãe me contou, vai ser um acontecimento grandioso. Imagino que um próspero corretor da Bolsa de Valores como Hugh Rashley faria questão disso, como parte de sua imagem de homem bem-sucedido. E você vai então se casar com ele, mas por alguma razão não quer que Oliver saiba... — Como Caroline não teve como replicar nenhuma das insinuações, Liz começou a rir e completou:

— Minha querida criança, eu acho que você se apaixonou por Oliver. Bem, não a culpo por isso, nem um pouco. Apenas sinto muito por você... Mas ouça, eu estou do seu lado, e então podemos fazer um pequeno pacto. Você e Jody voltam para Londres, e eu prometo que não digo uma palavra sequer a respeito do seu casamento. Ele não vai saber de nada até ver as reportagens nas colunas sociais dos jornais da quarta-feira de manhã. Certamente haverá descrições completas de toda a cerimônia, com uma foto dos noivos na porta da igreja, como se tivessem acabado de descer da última camada do topo de um bolo de casamento. Que tal essa idéia? Sem explicações, sem desculpas. Apenas uma separação imediata e limpa. Você de volta aos braços do seu Hugh, que obviamente a adora, e deixando o *hippie* do Angus vivendo a própria vida. E então, isso tudo não faz sentido para você?

— Mas tem o Jody... — disse Caroline, acuada.

— Ele é apenas uma criança. Um menino ainda muito pequeno. Vai se adaptar bem. Vai se mudar para o Canadá e adorar tudo por lá. Vai acabar se tornando o capitão do time de hóquei em pouquíssimo tempo. Diana é a pessoa mais adequada, a melhor, para cuidar dele, e você sabe bem disso, e consegue ver essa realidade, não? Alguém como Angus, sem futuro, seria apenas a pior influência possível para o menino. Ora vamos, Caroline, desça das nuvens e encare os fatos. Desista desse projeto insano e volte para Londres.

Do gramado lá embaixo ouviu-se um grito de triunfo, quando Jody finalmente conseguiu acertar a bola no buraco. Subiu de volta pela pequena elevação, correndo e balançando o seu novo taco de golfe.

— Peguei o jeito! É preciso bater na bola bem devagar, não usar muita força! — E parou. Liz já estava em pé, colocando suas luvas. — Você não vai lá jogar um pouco comigo?

— Outra hora!

— Mas você prometeu.

— Outra hora nós jogamos! — repetiu, e entrou no

carro, recolhendo com elegância suas longas pernas. — Agora a sua irmã tem uma coisa importante para lhe contar.

Oliver dirigiu de volta para casa através da noite que baixava, azulada, depois de um dia absolutamente perfeito. Agora, ele se sentia relaxado e, por alguma razão, estranhamente contente. Não estava mais se sentindo exausto pela longa reunião, cheia de assuntos legais. Tinha a cabeça clara e se sentia muito mais feliz, pois dera realmente o passo final para colocar a Fazenda Cairney à venda. Havia conversado também com o advogado a respeito da idéia de manter o chalé do lago, reformando-o e convertendo-o em uma pequena casa de veraneio. O advogado não levantara nenhuma objeção à idéia, desde que Oliver conseguisse acertar os detalhes do acordo com Duncan Fraser, para conseguir um caminho de acesso através do que se tornaria, depois da venda efetuada, terra de Duncan.

Oliver não imaginava que Duncan pudesse levantar qualquer objeção com relação a isso. O pensamento do lindo chalé totalmente remodelado e novamente com vida o encheu de satisfação. Ele estenderia o jardim até a beira do lago, reformaria o velho cais, reconstruiria a chaminé e abriria janelas na parte de cima, que sairiam no telhado e teriam uma linda vista para o lago. Planejando tudo isso, ele começou a assobiar baixinho. O volante revestido de couro lhe pareceu firme e agradável ao toque, sob suas mãos, e o carro fazia as curvas da estrada tão familiar de um modo suave, doce, como um cavalo que trota em ritmo constante e conhece bem o caminho. Como se o carro soubesse, assim como Oliver, que estava indo para casa.

Virou na entrada dos portões e acelerou pela alameda, sob as árvores, chegando na curva do rododendro e fazendo a buzina soar alegremente, para avisar a Jody e a Caroline que ele já estava de volta. Largou o carro parado na porta da frente e entrou em casa tirando o paletó, já esperando escutar o barulho dos passos de Jody.

Mas a casa estava silenciosa. Colocando o casaco sobre o assento de uma cadeira, ele chamou:

— Jody!... — Não houve resposta. — Caroline! — Ainda nada. Foi até a cozinha, mas ela estava escura e vazia. A Senhora Cooper ainda não chegara para preparar o jantar. Intrigado, ele saiu pela porta de vaivém e seguiu até a biblioteca. Ali, também, não havia ninguém, e o fogo estava quase apagado na lareira. Ele acendeu o interruptor e, com o aposento mais iluminado, foi colocar mais algumas achas de lenha para reavivar as chamas. Levantando-se, viu de relance o envelope sobre a escrivaninha, um retângulo de papel branco encostado ao telefone. Um dos melhores envelopes da gaveta de cima da sua escrivaninha, e sobre ele estava escrito o seu nome.

Ele o abriu e notou, com alguma surpresa, que suas mãos estavam tremendo. Desdobrou a folha solitária, que retirou com cuidado, e leu a carta de Caroline.

Caro Oliver,

Depois que você saiu, Jody e eu tivemos uma longa conversa, analisamos tudo com cuidado e decidimos que seria melhor voltarmos para Londres. Não vai adiantar nada ficar aqui esperando por Angus. Sequer sabemos quando é que ele vai voltar, e não é justo fazermos isso com Diana, ficar fora ainda por mais tempo, quando ela nem mesmo sabe ao certo onde estamos.

Por favor, não se preocupe conosco. O carro está funcionando maravilhosamente, e na oficina eles gentilmente encheram o tanque para nós. Não creio que vá acontecer alguma outra nevasca, e estou certa de que voltaremos em segurança.

Não há palavras para agradecer a você e à Senhora Cooper por tudo o que fizeram por nós. Adoramos ficar em Cairney esses dias. É algo que jamais esqueceremos.

Com amor, de nós dois,

Caroline

7

Na manhã seguinte, Oliver, tentando enganar a si mesmo de que era necessário acertar um ou dois pontos pendentes com Duncan Fraser a respeito da venda de Cairney, resolveu pegar o carro e ir até Rossie Hill. Era mais um dia maravilhoso, embora frio; durante a noite caíra uma geada leve, e o sol ainda não conseguira esquentar o ar o suficiente para derretê-la. Mesmo assim, o caminho de entrada de Rossie Hill estava enfeitado com os brotos dos primeiros narcisos e, ao entrar na casa pela porta da frente, Oliver sentiu de imediato o perfume do imenso vaso de jacintos azuis que repousava no centro da mesa do saguão.

Sentindo-se tão em casa ali quanto Liz em Cairney, saiu em busca dos ocupantes da casa, descobrindo a filha de Duncan, afinal, no estúdio do pai, sentada na escrivaninha e tendo uma conversa ao telefone, aparentemente com o açougueiro. Assim que ele abriu a porta, ela olhou em sua direção e levantou as sobrancelhas, em um sinal silencioso para que ele esperasse por mais alguns instantes. Oliver entrou no aposento e foi ficar de pé diante da lareira. Pensou em acender um cigarro, mas logo a seguir mudou de idéia, confortado pelo calor do fogo que acariciava a parte da frente de suas pernas.

Liz acabou de falar ao telefone e desligou. Ficou, porém, sentada junto à escrivaninha, muito parada, com uma das longas pernas balançando, como se estivesse pensando em algo. Usava uma saia pregueada, um suéter colante e um lenço de seda amarrado em volta do pescoço. A pele de seus braços e de seu rosto ainda brilhava com o tom bronzeado do sol de Antigua, e por um longo momento seus olhos escuros encararam os dele, do outro lado do cômodo.

— Procurando por alguém? — perguntou ela, por fim.

— Seu pai.

— Ele saiu. Foi a Relkirk. Não volta antes do almoço. — Pegou uma cigarreira de prata e estendeu-a na direção de Oliver. Ele balançou a cabeça, mas ela serviu-se de um cigarro e o acendeu na mesma hora, com o pesado isqueiro que ficava sobre a escrivaninha. Ficou observando o visitante atentamente, de forma pensativa, através de uma nuvem de fumaça azul. — Você parece um pouco distante, Oliver. Aconteceu alguma coisa?

Ele estivera a manhã inteira tentando se convencer de que não havia nada errado, mas naquele momento disse, de forma abrupta:

— Caroline e Jody se foram.

— Foram embora? — Sua voz mostrava uma surpresa moderada. — Embora para onde?

— De volta para Londres. Voltei ontem para casa e encontrei uma carta de Caroline.

— Mas certamente isso foi uma coisa positiva.

— Depois de todos os problemas por que passaram, acabaram não conseguindo se encontrar com o irmão.

— Pelo que eu entendi, não me parece que isso vá fazer muita diferença, acho eu.

— Vai fazer diferença, sim. Era importante para eles. Era muito importante para Jody.

— Contanto que sejam capazes de voltar a Londres em segurança, não me preocuparia mais com eles. Você já tem problemas suficientes na vida, meu caro, não precisa ficar servindo de babá para dois pobres-coitados que você nunca tinha visto antes e nem conhecia. — E mudou de assunto, como se a partida deles tivesse pouca importância. — O que você queria com o meu pai?

— Eu... — Ele mal se lembrava. — É sobre um caminho de acesso. Vou querer ficar com o chalé do lago, se pudermos acertar isso, mas vou precisar de uma trilha através do vale, para chegar até lá.

— Ficar com o chalé do lago? Mas está totalmente em ruínas!

— Basicamente, a estrutura está suficientemente boa. Vai precisar de uma arrumada, uma pequena reforma para ficar mais bonito, um telhado novo.

— E para que finalidade você vai querer o chalé do lago?

— Para ficar com ele! Para usá-lo como casa de férias, talvez. Não sei ainda... Simplesmente para mantê-lo comigo.

— Fui eu que coloquei essa idéia na sua cabeça?

— Talvez tenha sido.

Ela escorregou lentamente da escrivaninha, atravessou o estúdio e chegou junto dele.

— Oliver, eu tenho uma idéia muito melhor.

— E que idéia é essa?

— Deixe o meu pai comprar a casa principal de Cairney.

— Mas ele nem mesmo está interessado nela! — riu ele.

— Ele não, mas eu estou. Gostaria de ficar com ela para... Como foi que você disse? Férias... Fins de semana.

— E para que você iria querer isso?

— Para trazer meu marido até aqui... — Atirou o cigarro na lareira. — E os meus filhos.

— E eles iriam gostar disso?

— Não sei. Me responda você...

Os olhos dela eram diretos, honestos, sequer piscavam. Ele estava atordoado pelo que ela estava lhe dizendo, mas ao mesmo tempo se sentia lisonjeado. E surpreso. A pequena Lizzie, desajeitada, com as pernas compridas e finas demais, agora adulta, sedutora e linda como ele nunca imaginara, e pedindo a Oliver que...

— Desculpe-me se eu estou entendendo errado... — disse ele. — Mas não era eu quem deveria estar tendo esse tipo de idéia?

— Sim, suponho que sim. Mas eu conheço você há tempo demais para perdoar esses pequenos deslizes causados pela timidez. Tenho um sentimento forte de que esse nosso reencontro aqui, sob essas circunstâncias, quando nenhum de nós esperava rever um ao outro, significa que tudo estava escrito desde o início. Era parte de um plano superior. Sinto que Charles iria gostar se isso acontecesse.

— Mas foi sempre Charles quem amou você.

— Foi o que eu quis dizer. E Charles agora está morto!

— Mas você teria se casado com ele, se estivesse vivo?

A resposta dela foi colocar os braços em volta do pescoço dele e beijá-lo longamente na boca. Por um instante ele hesitou, pois fora apanhado desprevenido, mas isso durou apenas uma fração de segundo. Era Liz quem estava ali, perfumada, deslumbrante, maravilhosamente atraente. Colocando os braços em volta dela, ele a puxou para junto de si, seu corpo delgado pressionado de encontro ao dele, e disse a si mesmo que talvez ela estivesse com razão. Talvez essa fosse, afinal, a direção que a sua vida estava destinada a tomar. Talvez Charles tivesse realmente pensado nisso o tempo todo.

Oliver estava, como era de se esperar, atrasado para o almoço. A cozinha estava irrepreensivelmente limpa, seu prato solitário e seus talheres colocados sobre a mesa, e tudo estava envolto pelo aroma da comida gostosa que vinha do fogão. Procurando pela Senhora Cooper, ele a encontrou no antigo quarto de brincar, arrumando todos os velhos brinquedos que Jody desalojara e deixara espalhados pelo chão. Parecia uma mãe que havia sido afastada dos filhos. Enfiando a cabeça no vão da porta, Oliver disse:

— Estou atrasado para o almoço. Desculpe.

— Ora, isso não é importante. — E olhou por cima da caixa de blocos de madeira que estava meticulosamente guardando. Parecia apática. — É só um pastelão de carneiro. Deixei em cima do fogão. Você pode comer, quando tiver vontade.

A Senhora Cooper ficara chocada e imensamente aborrecida na noite anterior, quando Oliver lhe contou que os Cliburn tinham ido embora. Pela sua expressão agora, Oliver notou que ela ainda não superara o fato. Disse, então, de forma entusiasmada, tentando animá-la:

— Eles já devem estar bem adiantados na viagem. Talvez consigam chegar a Londres ainda esta noite, se não enfrentarem muito tráfego pesado nas estradas.

— Não posso agüentar o sentimento de solidão na casa, sem eles. — E fungou. — É estranho, parecia até que aquele pequeno menino tinha vivido nessa casa desde o dia em que nasceu. Foi como se Cairney ganhasse vida de novo, com a presença dele aqui.

— Eu sei. — Oliver tentava demonstrar afinidade com o que ela dizia. — Mas, veja, Senhora Cooper, eles teriam que ir embora de qualquer jeito, em mais um ou dois dias.

— E eu nem sequer tive a chance de me despedir deles. — Ela fazia parecer como se tudo aquilo fosse culpa de Oliver.

— Eu sei. — Ele não conseguiu achar mais nada adequado para dizer.

— E o menino, pobrezinho, nem conseguiu se encontrar com o irmão, no final da história. Falava tanto nesse irmão, Angus, e, depois de todos os planos e problemas, não foi capaz sequer de vê-lo. Isso faz o meu coração se sentir *podre*.

Essas palavras, ditas pela Senhora Cooper, significavam linguagem pesada. De repente, Oliver começou a se sentir tão deprimido quanto ela e disse, de forma quase inaudível:

— Vou... Vou comer o meu pastelão de carneiro. — Depois, ao chegar à porta, se lembrou do motivo pelo qual tinha vindo procurá-la. — Ahn... Senhora Cooper, não se incomode de voltar mais tarde para preparar a janta. Fui convidado para um jantar em Rossie Hill.

Ela apenas balançou a cabeça, demonstrando que

compreendera o recado. Era como se estivesse muito abalada para tentar responder qualquer outra coisa. Oliver a deixou por conta de sua arrumação mergulhada em desconsolo e desceu de novo para a cozinha. Sentiu, também ele, a casa triste e silenciosa demais. Era como se, longe da presença barulhenta de Jody, todo o lugar também tivesse mergulhado em uma melancolia tão forte e pesada quanto a da Senhora Cooper.

Rossie Hill, enfeitada para um jantar de gala, era sempre tão ofuscante e cintilante quanto o interior de um porta-jóias. Quando Oliver entrou, sentiu novamente o cheiro dos jacintos, viu o fogo tremeluzindo na lareira e sentiu-se imediatamente acalmado pelo calor e o conforto do ambiente. Ao tirar o paletó e colocá-lo sobre a cadeira do *hall*, Liz surgiu da cozinha, carregando uma tigela imensa cheia de cubos de gelo. Ela parou e colocou a tigela sobre a mesa quando o viu, exibindo um sorriso repentino e brilhante.

— Oliver.

— Olá.

Ele apertou os ombros dela com firmeza e a beijou com todo o cuidado, para não borrar a fina linha de sua boca, desenhada com batom. Liz estava com um sabor e um cheiro maravilhosos. Ele a segurou melhor para admirá-la. Estava de vermelho, vestia uma calça de seda muito larga e uma blusa de gola alta. Diamantes fulguravam em um discreto par de brincos. Todo o conjunto fez com que lhe viesse à mente a imagem de um periquito raro ou uma ave-do-paraíso, toda feita de olhos brilhantes e plumagem colorida. Disse a Liz:

— Cheguei cedo demais.

— Não. Cedo, não. Chegou na hora certa. Os outros ainda não chegaram.

— Outros? — Ele levantou as sobrancelhas.

— Eu lhe disse... É um jantar de gala! — Ele a seguiu até a sala de visitas, onde ela colocou a imensa tigela com gelo sobre uma mesa de drinques meticulosamente preparada. — Os Allford também vêm. Você os conhece? Mudaram-se para Relkirk há pouco tempo. Ele faz alguma coisa ligada a uísque. Estão loucos para conhecer você. E agora, quer que eu lhe sirva um drinque ou prefere ir até a mesa pegar? Saiba que aprendi a preparar um martíni muito especial.

— E onde foi que você aprendeu isso?

— Ahn... Nas minhas viagens por aí.

— Seria desfeita se eu optasse apenas por um uísque e soda?

— Não, desfeita nenhuma. Seria apenas tipicamente escocês.

Ela preparou a bebida exatamente da maneira como ele gostava, não muito forte, com pequenas borbulhas e cheia de gelo. Trouxe-a de volta, entregou-lhe, e ele tomou um gole. A seguir, beijou-a novamente. Ela se afastou dele, devagar, mostrando relutância, e voltou para a mesa de drinques, onde começou a preparar uma jarra com martíni.

Enquanto ela fazia isso, Duncan juntou-se a eles, e, quando a campainha da frente tocou, Liz foi até a porta receber seus outros convidados.

Quando a filha saiu da sala, Duncan disse a Oliver:

— Ela já me contou!

Oliver ficou surpreso. Nada em definitivo ficara acertado naquela manhã. Nada fora devidamente discutido. Não havia um compromisso. Sua conversa com Liz, ainda que muito prazerosa, tinha sido mais a respeito do passado e de recordações do que sobre o futuro deles. Parecia a Oliver que havia todo o tempo do mundo para decidir a respeito do futuro. Perguntou então a Duncan, com cautela:

— O que foi que ela contou?

— Não muito. Para falar a verdade, apenas colocou uma ou duas idéias na minha cabeça. Mas quero que saiba, Oliver, que nada neste mundo me faria mais feliz.

— Anh... Que bom!

— E com relação a Cairney, eu acho... — Vozes se aproximaram da porta semi-aberta. Duncan encerrou a conversa abruptamente: — Falaremos disso mais tarde.

Os Allford eram um casal de meia-idade. O marido era alto, corpulento, e tinha uma cara séria. A mulher era muito magra, com o rosto rosado e um pouco pálido, emoldurado por um cabelo louro armado, que parecia sem cor e sem vida, talvez por já estar ficando grisalho. Todos foram apresentados, e Oliver se viu sentado ao lado da Senhora Allford no sofá, ouvindo histórias a respeito dos filhos dela, que a princípio não queriam vir morar na Escócia, mas que agora estavam adorando. Soube também que a filha deles vivia em função do clube de hipismo local e que o filho já estava no primeiro ano da faculdade, em Cambridge.

— E você... Quer dizer que é o vizinho da casa ao

lado, se é que se pode falar assim em se tratando de fazendas.

— Não. Moro em Londres.

— Mas...

— Meu irmão, Charles Cairney, é quem morava em Cairney, a fazenda aqui ao lado, mas morreu há pouco tempo, em um acidente de carro. Eu estou aqui tentando organizar todos os assuntos que ficaram pendentes.

— Ah, claro! — A Senhora Allford colocou no rosto uma expressão adequada para a tragédia. — Eu não sabia desse fato. Meus pêsames. É muito difícil saber de tudo a respeito das pessoas quando as encontramos pela primeira vez.

A atenção de Oliver foi atraída de volta para Liz, no centro da sala. Seu pai e o Senhor Allford estavam em pé, concentrados em conversas de negócios. Ela estava ao lado deles, segurando o seu drinque e um pequeno prato com castanhas salgadas, do qual o Senhor Allford, de modo casual, se servia de vez em quando. Sentindo o olhar de Oliver, ela se virou em sua direção. Ele piscou-lhe sem que a Senhora Allford notasse, e Liz sorriu.

Finalmente, foram para a sala de jantar, que estava suavemente iluminada, com as cortinas de veludo fechadas, deixando a noite escura do lado de fora. Havia jogos de tecido rendado embaixo de cada prato, sobre a madeira escura e brilhante da mesa. Muitos cristais e prata estavam posicionados elegantemente, e um imenso arranjo de tulipas escarlates, no mesmo tom do vestido de Liz, sobressaía no centro da mesa. E então foi servido o fino cardápio, constituído de filé de salmão defumado, rosado e delicioso, vinho branco, escalope de vitela, minúsculas couves-de-bruxelas cozidas com castanhas, e um pudim que era simplesmente um leve monte de espuma feito com limão e creme. Depois um café, conhaque, e o cheiro de legítimos havanas. Oliver afastou um pouco a cadeira, sentindo-se repleto e afortunado pelos confortos proporcionados pelo bem-viver, e já se preparava para aderir às conversas usuais após jantares como aquele.

Atrás dele, o relógio que ficava sobre o console da lareira bateu nove horas. Em alguns momentos, durante o dia, ele afastara os pensamentos sobre Jody e Caroline bem para o fundo de sua mente, não se incomodando mais com eles desde então. À medida, porém, que o relógio continuava a soar as nove badaladas com suavidade e determinação, ele não se sentiu mais em Rossie Hill, mas em Londres, junto com os Cliburn. A essa hora eles já estariam em casa, cansados e entediados, procurando explicar tudo a Diana, tentando contar-lhe todas as coisas que tinham acontecido com eles; Caroline estaria ainda mais pálida e exausta, após as longas horas no volante, e Jody ainda arrasado com o desapontamento e pensando: *Nós fomos procurar Angus. Fizemos essa viagem toda até a Escócia só para encontrar Angus, mas ele não estava lá. E eu não quero ir para o Canadá.*

E imaginou Diana, agitada, repreendendo-os severamente, para afinal perdoar tudo, mandar esquentar o leite de Jody e colocá-lo na cama. Viu Caroline subindo as escadas lentamente, cada passo muito devagar antes do seguinte, o rosto coberto pela cortina de cabelos louros e as mãos deslizando sem ânimo pelo corrimão.

— E qual é a sua opinião a respeito, Oliver?

— Como? — Estavam todos em volta olhando para

ele. — Desculpem, não estava prestando atenção na conversa.

— Estávamos discutindo a liberação das licenças para a pesca do salmão no vale do Corrie. Ouvi falar de um projeto que vai permitir...

A voz de Duncan se arrastava. Ninguém mais falava na sala. De repente, tudo ficou quieto, e através do silêncio todos ouviram o que os aguçados ouvidos de Duncan já haviam percebido. O som de um carro, não na estrada lá embaixo e sim mais perto, subindo a colina em direção à casa. Uma caminhonete, ou um caminhão; as mudanças de marcha aconteciam com maior esforço do motor, à medida que a ladeira se acentuava, e então um brilho de faróis passou através do tecido das cortinas fechadas da sala, e o palpitar constante de um motor muito velho se fez ouvir.

— Parece... — disse Duncan, olhando para Liz e fazendo uma piada — que o caminhão com a lenha acabou de chegar.

— Deve ser alguém que se perdeu pelo caminho — respondeu Liz, franzindo a testa. — A Senhora Douglas vai abrir a porta. — E suavemente se voltou de novo para a Senhora Allford, com intenção de levar a conversa adiante, ignorando completamente o desconhecido recém-chegado, que a essa altura já estava esperando do lado de fora da casa. A atenção de Oliver, porém, permaneceu retesada como um elástico que tivesse sido esticado. Ficou com as antenas ligadas e com as orelhas em pé, parecendo um cão de caça. Ouviu o som da campainha da porta da frente e também os suaves passos que foram atender ao chamado. Escutou então uma voz, alta e agitada, interrompida pelas objeções suaves da Senhora Douglas. "...Você não pode entrar lá, está acontecendo um jantar importante..." E depois a exclamação "... Ah, seu pestinha..." e, no instante seguinte, a porta da sala de jantar se abriu completamente. Do lado de fora, com o corpo aprumado e os olhos procurando em toda a sala a única pessoa com quem queria encontrar, estava a figura de Jody Cliburn.

Oliver ficou imediatamente de pé, e seu guardanapo voou sobre a mesa.

— Jody!

— Oh, *Oliver*!

Atravessando a sala como uma bala, parecendo um pombo-correio que finalmente encontrara o seu destino, o menino se jogou direto nos braços de Oliver.

A civilidade tão formal do jantar elegante se desmontou de imediato, como um balão furado. A agitação que resultou disso teria sido engraçada, se não fosse quase trágica. Porque Jody estava em lágrimas, gaguejando como um bebê, com a cabeça enterrada na barriga de Oliver e os braços fortemente agarrados em volta de sua cintura, como se não demonstrasse a menor intenção de deixá-lo se afastar. A Senhora Douglas, vestida com um avental impecável, esticava o pescoço de um lado para o outro no corredor lá fora, sem conseguir decidir se deveria ou não entrar na sala de jantar e bravamente arrastar o intruso para fora. Duncan estava de pé, sem ter a menor idéia do que estava acontecendo ou quem poderia ser aquela criança. A cada pequeno intervalo de tempo, repetia: "Mas que diabos está acontecendo?", embora ninguém ali estivesse em posição de lhe oferecer qualquer tipo de resposta. Liz também se levantara, mas não dizia nada. Estava simplesmente com os olhos grudados na parte de trás da cabeça de Jody, com o olhar de ódio de quem, se tivesse a mínima oportunidade, gostaria de saborear o enorme prazer de esmagá-la, como se fosse uma fruta podre, de encontro à parede de pedra mais próxima. Apenas os Allford, convencionais até o fim, permaneceram exatamente onde estavam. O Senhor Allford dizia: "Que acontecimento extraordinário!", entre uma baforada e outra de seu charuto. "Quer dizer então que esta criança chegou para o jantar em um caminhão de carregar lenha?" Enquanto isso, a Senhora Allford sorria de modo sociável, sempre muito casual, dando a impressão de que crianças desconhecidas chegando em caminhões tinham entrado de repente em todos os jantares de gala dos quais ela já participara.

Das profundezas do paletó de Oliver chegavam abafados soluços entrecortados, fungadas longas e frases mutiladas, das quais ele não conseguia ouvir ou entender sequer uma palavra por inteiro. Depois de algum tempo, pareceu evidente que a situação não poderia continuar eternamente daquela maneira, mas Jody estava agarrado de modo tão apertado que tornava impossível para Oliver o simples ato de se mexer.

— Agora, vamos lá!... — disse ele, por fim, levantando a voz para se fazer ouvir acima dos soluços. — Acalme-se! Vamos lá fora e você poderá me contar tudo o que está acontecendo...

Essas palavras de algum modo alcançaram Jody, que desapertou ligeiramente o seu abraço esmagador, permitindo-se ser levado em direção à porta.

— Sinto muito — disse Oliver, enquanto saía. — Por favor, me desculpem por um momento... Isso foi algo totalmente inesperado.

Sentindo-se como se tivesse conseguido realizar uma escapada brilhante, Oliver se viu no saguão com Jody, e a Senhora Douglas, graças a Deus, já estava fechando a porta atrás deles.

— Vocês ficarão bem? — perguntou ela, em sussurro.

— Sim, estamos bem.

Ela seguiu então de volta para a cozinha, murmurando algo inaudível entre os lábios, e Oliver se acomodou em uma cadeira totalmente entalhada e trabalhada em madeira rara, e que tinha sido construída para que alguém jamais se sentasse nela. Puxou Jody para mais perto de si, colocando-o entre os joelhos.

— Pare de chorar. Vamos, tente parar de chorar. Tome esse lenço, assoe o nariz e pare de chorar para podermos conversar.

Com o rosto ainda muito vermelho e inchado, Jody fez um valente e visível esforço para se acalmar, mas as lágrimas continuavam a vir.

— E-eu... N-não co-consigo parar...

— O que aconteceu?

— Ca-Caroline está doente. Está mesmo! De verdade... Muito doente! Está passando muito mal, como já esteve antes, mas agora sente uma dor terrível bem aqui. — E colocou as próprias mãos, que estavam muito sujas, cobrindo o próprio estômago. — E está ficando cada vez pior!

— Onde é que ela está agora?

— No Hotel Strathcorrie.

— Mas ela me escreveu na carta que vocês iam voltar direto para Londres.

— Eu não quis, eu não deixei! — Seus olhos se encheram novamente de lágrimas. — E-eu que-queria encontrar Angus.

— E ele já voltou?

— Não. — E balançou a cabeça para os lados. — Não havia mais ninguém a quem recorrer, a não ser você.

— Você já chamou um médico?

— Eu... eu não sabia o que deveria fazer. Resolvi então vir até aqui chamar você.

— Você acha que ela está mesmo, realmente, muito mal?

Sem conseguir falar mais, por causa do choro que voltara, convulsivo, Jody fez que sim com a cabeça, muito nervoso. Atrás de Oliver, a porta da sala de jantar se abriu e tornou a se fechar, quase em silêncio. Ele se virou e viu Liz parada ali. Ela, então, perguntou a Jody:

— Por que vocês não voltaram para Londres? — Mas ele viu o ódio em seu rosto e não respondeu. — Vocês disseram que iam embora. Sua irmã me falou que levaria você de volta com ela ontem mesmo. — Sua voz ficou de repente muito aguda e estridente. — Ela me disse que...

Oliver se levantou abruptamente, e Liz parou de falar no mesmo instante, como se uma torneira tivesse sido fechada. Oliver, então, perguntou a Jody:

— Quem trouxe você até aqui?

— Um ho-homem. Um homem em uma caminhonete.

— Vá até lá fora, fique junto dele e espere por mim. Avise-lhe que eu já vou sair para falar com ele...

— Mas nós temos que *correr*. Tem que ser bem depressa.

— Eu já disse que vou até lá em um instante! — disse Oliver, levantando a voz. Depois, virou Jody de frente para a porta e lhe deu um pequeno empurrão de incentivo. — Vá em frente, capitão. Diga a ele que você já me achou.

Desanimado, Jody foi. Manipulou com alguma dificuldade a maçaneta da pesada porta e a fechou quando saiu. Oliver olhou para Liz e disse:

— O motivo de eles acabarem não voltando para Londres é que Jody quis ter uma última oportunidade de encontrar o irmão. Agora, o problema é com Caroline, que está passando mal. É tudo o que há para explicar por agora, desculpe.

Atravessou o saguão para pegar o paletó, e atrás dele Liz disse:

— Não vá!

— Mas eu tenho que ir! — E virou-se, franzindo a testa.

— Telefone para um médico em Strathcorrie e o mande até lá. Ele cuidará dela.

— Liz, eu tenho realmente que ir até lá.

— Ela é assim tão importante para você?

Oliver começou a negar com a cabeça, mas depois descobriu que na verdade não queria fazer isso.

— Não sei. Talvez ela seja. — E começou a colocar o paletó.

— E quanto a nós dois? Você e eu?

— Tenho que ir agora, Liz! — Era tudo o que conseguia repetir.

— Se você sair por aquela porta agora, não precisa nem voltar.

Era como um desafio... ou um blefe. De qualquer modo, não pareceu a Oliver que isso fosse importante naquele momento, e ele tentou ser gentil com ela.

— Não comece a dizer coisas das quais pode se arrepender mais tarde.

— E quem é que disse que eu vou me arrepender? — Cruzou os braços sobre o peito, apertando os cotovelos com tanta força que os nós dos dedos bronzeados ficaram quase brancos. Parecia estar sentindo muito frio de repente, e dava a impressão de estar fazendo um esforço para não perder a calma. — Se não tomar cuidado, você é quem vai ter do que se arrepender, Oliver. Ela vai se casar daqui a quatro dias!

— O que está dizendo, Liz? — Oliver já acabara de colocar o paletó e começava a fechar os botões bem devagar. A calma dele a levou aos limites da sua elaborada atitude de autocontrole.

— Ela não contou a você? Que coisa estranha, você não acha? Pois é a pura verdade! Ela vai se casar agora, na próxima terça-feira, em Londres. E com um jovem corretor financeiro de futuro muito promissor, que se chama Hugh Rashley. É até engraçado que você não tenha sequer desconfiado disso. Mas também, ela nem usava um anel de noivado, usava? Disse que era muito grande e que tinha medo de perdê-lo, mas isso me pareceu uma explicação meio tola. Você não vai me perguntar agora como é que eu sei de tudo isso, Oliver?

— Como é que você sabe de tudo isso, Liz? — ecoou Oliver.

— Minha mãe me contou, pelo telefone, ontem de manhã. Veja só que coincidência! Diana Carpenter, a madrasta, é simplesmente a melhor amiga de mamãe que, portanto, sabe de tudo sobre a vida da garota.

— Liz, tenho que ir agora.

— Se você já perdeu o coração... — disse ela, de modo doce —, siga meu conselho e não perca a cabeça junto. Não há futuro ali. Você só vai fazer papel de tolo.

— Explique a minha saída ao seu pai — disse ele. — Conte-lhe o que aconteceu. Diga-lhe que eu sinto muito. — E abriu a porta. — Adeus, Liz.

Ela não estava conseguindo acreditar que Oliver não se voltaria de modo impetuoso para correr até ela, tomá-la nos braços e dizer que nada daquilo era importante, que ele a amaria para sempre, como Charles a tinha amado, e que Caroline Cliburn que cuidasse da própria vida.

Mas ele não fez nada disso. E foi embora.

O homem na caminhonete era um sujeito grande, com rosto redondo e vermelho, e usava uma boina em tecido xadrez. Parecia um fazendeiro, e a caminhonete fedia a estrume de porco. Esperara, porém, pacientemente, por Oliver, até que este saiu da casa. Enquanto isso, fazia companhia a Jody.

Oliver colocou a cabeça na janela, dizendo:

— Sinto muito por tê-lo feito esperar!

— Não tem problema não, senhor. Não estou com pressa.

— Foi muito gentil ter trazido o menino até aqui.

Não sei como lhe agradecer. Espero que o senhor não tenha se desviado muito do seu caminho.

— Que nada! Estava voltando lá de Strathcorrie, de qualquer jeito. Tinha dado uma parada para uma cervejinha no bar do hotel, quando o menino me pediu para trazê-lo até Cairney. Como me pareceu que ele estava com problemas e muito preocupado, não quis deixá-lo ali, sozinho na estrada, àquela hora. — E, virando-se para Jody, bateu-lhe no joelho afetuosamente, com sua mão grande e gorda. — Então... Agora você vai ficar bem, rapazinho, encontrou o Senhor Cairney!

— Eu lhe agradeço muito! — Jody saltou da caminhonete. — Não sei o que teria feito se o senhor não estivesse ali naquela hora e não fosse tão gentil.

— Ora, não foi nada. Quem sabe alguém vai fazer o mesmo por mim algum dia, hein? Ajudar quando eu estiver precisando urgentemente de uma carona como você, ou algo assim? Só espero que a sua irmã melhore e que dê tudo certo. Agora devo me despedir, senhor.

— Boa noite! — disse Oliver. — Muito obrigado, mais uma vez! — E, quando a lanterna traseira da caminhonete desapareceu na curva do caminho de acesso à casa, ele pegou na mão de Jody, colocou-a dentro da sua e disse:

— Vamos embora agora. Não temos mais tempo a perder.

Já na estrada, em disparada, com os faróis trespassando como lanças a escuridão do caminho, que serpenteava diante deles com suas voltas e curvas tão familiares, Oliver disse a Jody:

— Agora, conte-me direito tudo o que aconteceu.

— Bem, Caroline ficou passando mal de novo,

vomitou, e então falou que estava com uma dor horrível; depois ficou pálida e suando muito, e aí... eu não sei... o telefone... E então...

— Não. Quero saber do início. Desde a carta que Caroline me escreveu. Aquela que vocês deixaram na minha escrivaninha.

— Ela me disse que nós íamos voltar para Londres. Mas eu reclamei, porque ela *tinha prometido* esperar até sexta-feira, e falei que Angus ia voltar na sexta.

— Sexta é hoje.

— E foi o que eu disse. Queria esperar até hoje. Mas ela disse que seria melhor para todos se nós voltássemos para Londres, e resolveu escrever aquela carta para você. Só que, no último momento, desistiu de voltar. Disse que nós dois iríamos para o Hotel Strathcorrie, só por uma noite, aquela última noite, e que hoje, então, teríamos que voltar para Londres, sem falta. Então eu disse que estava tudo bem, concordei com ela. Fomos para Strathcorrie e a Senhora Henderson nos deu quartos, e estava tudo ótimo até hoje de manhã na hora do café. Caroline falou que estava se sentindo péssima e não tinha condições de dirigir. Então ficou na cama. Tentou almoçar, mas achou que ia passar mal do estômago novamente, e acabou passando mesmo. Foi aí que a dor terrível começou.

— Por que não procurou a Senhora Henderson?

— Eu não sabia o que fazer. Ficava achando que Angus ia voltar a qualquer momento e então tudo seria resolvido e ficaria bem. Só que ele não voltou, e Caroline piorou mais ainda. Tive que descer e jantar sozinho, porque ela disse que não queria comer nada. Quando voltei, ela estava toda encharcada de suor. Era como se estivesse dormindo, só que não estava, e eu pensei que ela fosse morrer naquela hora...

Sua voz começou a ficar histérica, por causa do nervosismo. Oliver disse, tentando acalmá-lo:

— Você deveria ter me telefonado. Era só procurar o número do telefone da minha casa.

— Não gosto de falar no telefone, não consigo, tenho até medo de telefone — disse Jody, e admitir isso abertamente era uma prova do seu verdadeiro desespero. — Eu nunca consigo entender direito o que as pessoas falam no telefone, e quando estou nervoso nunca consigo teclar o número certo.

— O que você fez então?

— Desci correndo as escadas e vi aquele homem saindo do bar. Ele me pareceu gentil, falou que estava indo para casa e saiu. Fui atrás dele e contei que minha irmã estava doente. Falei de você e pedi para que me levasse até Cairney.

— Só que eu não estava lá...

— Não. E o homem foi legal, saltou do carro, tocou a campainha e tudo. Foi aí que eu me lembrei da Senhora Cooper, e ele me levou até a casa dela. Ela me deu um abraço grande quando me viu, e disse que você estava em Rossie Hill. O Senhor Cooper disse que me levaria até lá, embora estivesse de camiseta com suspensórios e chinelos. Foi aí que aquele homem legal disse que não, que ele me levaria, pois sabia o caminho. E foi assim que eu cheguei lá. Desculpe por estragar a sua festa.

— Isso não importa — disse Oliver.

A essa altura, Jody já se acalmara e tinha parado de chorar. Chegou mais para a ponta do banco, como se essa simples atitude pudesse fazê-los chegar mais depressa. Disse por fim:

— Não sei o que teria feito se não tivesse conseguido encontrar você.

— Mas conseguiu! E eu estou aqui agora. — Oliver esticou o braço e puxou Jody para mais perto dele. — Você fez muito bem, garotão. Fez tudo certinho.

A estrada continuava, subia e descia as colinas. As luzes de Strathcorrie apareceram, piscando trêmulas, bem mais adiante, envelopadas nas dobras das montanhas escuras e silenciosas. "Estamos chegando!...", disse Oliver baixinho, como se estivesse falando para Caroline. "Estamos chegando, Jody e eu."

— Oliver...

— Sim?

— O que é que você acha que está acontecendo com Caroline?

— Para dar um palpite de alguém completamente leigo... — disse Oliver. — Eu diria que ela está com um apêndice inflamado que precisa ser removido bem depressa.

8

O diagnóstico de Oliver mostrou-se perfeitamente correto. Em menos de dez minutos, o médico de Strathcorrie que a Senhora Henderson convocara com urgência chegou, confirmou a apendicite, injetou em Caroline um poderoso analgésico para fazê-la suportar a dor e desceu apressadamente a fim de ligar para o hospital local solicitando uma ambulância. Jody, com o que pareceu ser uma rara demonstração de tato para alguém tão novo, foi com o médico acompanhar essas providências. Oliver ficou com Caroline, sentado na beira da cama, segurando uma das mãos dela dentro das suas, colocadas em concha.

Ela falou, parecendo já ligeiramente dopada:

— Eu não sabia para onde Jody tinha ido. Não sabia que ele tinha ido procurar você.

— Fiquei completamente surpreso quando ele apareceu de repente. Para mim, vocês dois já estavam sãos e salvos, de volta a Londres.

— Nós não fomos. No último instante, vi que não podia ir embora. Simplesmente não podia, depois de ter prometido a Jody.

— Ainda bem que vocês não foram embora. Um apêndice supurado no meio do caminho, bem na estrada, não ia ser nada engraçado.

— É... Não ia mesmo, não é? — E sorriu. — Acho que era isso que estava errado comigo o tempo todo.

Quer dizer, eu me sentindo mal assim e enjoada. Nunca pensei que pudesse ser apendicite. — E completou, como se tivesse acabado de se lembrar de um detalhe: — E estou com casamento marcado para terça-feira!

— Esse é um compromisso que você não vai ser capaz de manter. Com certeza.

— Liz contou a você?

— Sim.

— Eu mesma deveria ter contado. Não sei por que não contei. — E depois se corrigiu: — Eu *não sabia* o motivo de não ter contado.

— E agora já sabe?

— Já! — respondeu ela, sem saída.

— Caroline — disse Oliver. — Antes que você diga mais alguma coisa, eu queria que soubesse que... quando você for se casar de verdade com alguém, eu não quero que seja com outra pessoa, a não ser comigo.

— Mas você não vai se casar com Liz?

— Não.

— Está tudo uma confusão, não é? — disse ela, considerando a frase, com o rosto sério. — Eu sempre consigo transformar tudo em confusão. Até mesmo ficar noiva de Hugh parece que faz parte dessa confusão.

— Não sei nada a esse respeito, Caroline. Não conheço Hugh.

— Ele é legal. Você gostaria de conhecê-lo. Está sempre por perto quando a gente precisa, e é organizado, muito gentil... Eu sempre gostei muito dele. É o irmão mais novo de Diana, Liz lhe contou isso? Foi ele quem nos recebeu, quando chegamos ao aeroporto vindos de Aphros, e tomou conta de tudo na volta da viagem. De certa forma, parece que vem cuidando de tudo desde então. É claro que Diana incentivou a idéia do nosso casamento. Isso combinava com o senso de ordem que ela tem, de fazer com que eu me casasse com o próprio irmão dela. Manteria as coisas arrumadas e organizadas, tudo em família. Mesmo assim, jamais teria aceitado me casar com ele se não tivesse acontecido aquele caso horrível com Drennan Colefield. A verdade é que quando Drennan me deu o fora senti um vazio imenso, como se jamais pudesse voltar a me apaixonar de verdade um dia. Sendo assim, não fazia muita diferença se eu realmente amava Hugh ou não. — E franziu a testa. — Tudo o que eu estou dizendo faz algum sentido para você? — perguntou ela, tonta e confusa.

— Faz sentido sim, perfeitamente.

— Então, o que é que eu devo fazer?

— Você ama Hugh?

— De certa forma, sim. Mas não desse jeito.

— Então, não há problema. Ele parece mesmo um sujeito legal, e deve ser, pois você jamais aceitaria se casar com ele se não fosse. Sendo assim, seria muito errado algemá-lo pelo resto da vida a uma mulher indiferente, desanimada e distante. De qualquer modo, você não vai mesmo poder se casar com ele na terça-feira. Vai estar muito ocupada sentada na cama, comendo frutas, cheirando flores e folheando revistas brilhantes e coloridas.

— Vamos ter que contar à Diana o que aconteceu.

— Eu me encarrego disso. Assim que os policiais a levarem no camburão, vou telefonar para ela — disse, tentando brincar com a situação.

— Você vai ter um bocado de coisas para explicar.

— É exatamente nisso que eu sou muito bom.

Ela mexeu um pouco a mão e enlaçou seus dedos aos dele. Disse, então, mostrando contentamento:

— Foi tudo inesperado, mas por muito pouco nós nem chegaríamos a nos conhecer. Nós nos encontramos bem a tempo, não foi?

Oliver ficou, inesperada e inexplicavelmente, com a garganta engasgada de emoção. Baixou a cabeça e beijou Caroline.

— Sim... — respondeu, com a voz um pouco rouca. — Chegamos muito perto de nos desencontrarmos para sempre. Mas, no fim, conseguimos acertar, hein?

No momento em que a viu ser colocada na ambulância, cercada pela assistência competente de dois ajudantes e uma enfermeira gorducha com cara simpática, Oliver se sentiu como se já conhecesse Caroline há uma eternidade. Ficou olhando a lanterna traseira da ambulância, que se afastava pela rua vazia abaixo, para depois passar sob um pequeno arco de pedra e logo a seguir sumir de vista, e fez uma prece silenciosa. Ao seu lado, Jody pegou na sua mão.

— Ela vai ficar bem, não vai, Oliver?

— Claro que vai!

E entraram de volta no hotel, como dois homens que tivessem acabado de realizar uma grande missão.

— O que faremos agora? — perguntou Jody.

— Você sabe tão bem quanto eu.

— Telefonar para Diana.

— Certo.

Oliver comprou um refrigerante para Jody, instalou o menino sobre uma mesa bem ao lado da cabine telefônica, entrou no cubículo abafado e começou a teclar os números que o conectariam com Londres. Vinte minutos mais tarde, depois de todas as longas, envolventes e exaustivas explicações terem sido encerradas, abriu a porta da cabine, chamou Jody, ali ao lado, e colocou-lhe o fone na mão.

— Sua madrasta quer falar com você.

— Ela está muito zangada? — perguntou o menino, em um sussurro.

— Não. Quer apenas dizer alô.

— A-alô?... Oi, Diana... — Jody, cuidadosamente, ajeitou o temido fone no ouvido. Lentamente, um sorriso começou a se espalhar pelo seu rosto. — Sim, eu estou muito bem...

Deixando-o sozinho, Oliver foi pedir ao *barman* a maior dose de uísque com soda que o hotel pudesse fornecer. No momento em que voltou, Jody já se despedira de Diana e acabara de desligar o telefone. Saiu, sorridente, de dentro da cabine.

— Ela não está nem um pouco brava, e está vindo para Edimburgo no primeiro vôo, amanhã.

— Eu sei.

— E disse que é para eu ficar com você até ela chegar.

— E está bem assim, para você?

— Se está bem? É fantástico! — E olhou para o copo comprido na mão de Oliver. — De repente, estou morrendo de sede. Será que eu posso tomar outro refrigerante?

— Claro que sim. Vá até lá e peça ao *barman*.

Oliver achava que tinha chegado ao fim das surpresas daquele dia movimentado, que não havia mais nada a ser feito no momento e que a noite não poderia trazer nenhum outro acontecimento inesperado. Mas estava enganado. Quando Jody saiu em busca de seu refrigerante, veio lá de fora o som de um carro que subia o acesso e parou bem na porta, só que do lado de fora do hotel. As portas do veículo se abriram e se fecharam com força; houve um som de vozes misturadas, passos, e no instante seguinte as portas de vidro que davam para a rua se abriram e entrou uma senhora baixa e miúda, de cabelos grisalhos. Estava vestida de forma elegante, com um terno rosa e branco com textura de algodão-doce e sapatos de pele de crocodilo que brilhavam muito. Foi imediatamente seguida por um jovem completamente sobrecarregado. Vinha cheio de malas finas recobertas de tartã xadrez de boa qualidade, e tentava abrir caminho com o corpo meio de lado através da porta, que teimava em se fechar automaticamente. Não tinha sequer uma das mãos livres com a qual pudesse mantê-la aberta. Era alto e louro, com os cabelos compridos e um rosto estranhamente eslavo, com maçãs do rosto salientes, e uma boca larga e bem-desenhada. Usava calças de veludo azul desbotada e um casaco grande e surrado. Enquanto Oliver o observava, ele carregou as malas até o balcão da recepção, deixou-as cair no chão com alívio e esticou o braço para tocar a sineta sobre a bancada.

Só que não chegou a alcançá-la. Nesse exato momento, Jody vinha saindo do bar. E, então, como um filme que tivesse ficado preso na tela com a imagem congelada, seus olhares se encontraram e eles ficaram ambos parados, completamente imóveis, olhando um para o outro. Depois, como se o filme tivesse destravado de repente com um ruído agudo, o jovem gritou "Jody!" a plenos pulmões, com uma voz que já era consideravelmente alta, e antes que alguém pudesse dizer qualquer outra coisa, Jody já havia se lançado através da sala para dentro dos braços do irmão.

Naquela noite, foram todos para Cairney. Na manhã seguinte, Oliver deixou os irmãos em companhia um do outro e dirigiu, sozinho, até Edimburgo, para se encontrar com Diana Carpenter, na chegada do avião que vinha de Londres. Ficou no saguão envidraçado do terminal de desembarque do aeroporto Turnhouse, olhando os passageiros que passavam pela porta de saída. Assim que Diana surgiu, ele soube que só poderia ser ela. Alta, esguia, elegante, vestindo um casaco largo de *tweed* e com uma pequena estola de peles em volta do pescoço. Enquanto ela vinha pela pista, ele seguiu na mesma direção, por dentro, para que pudessem chegar na porta juntos e ele estivesse lá para cumprimentá-la. Vendo o franzido em sua testa e a expressão preocupada, ele chegou junto dela, na porta de vidro, e chamou:

— Diana!

Ela estava com o cabelo louro preso em um coque apertado na parte de trás da cabeça, e seus olhos eram muito azuis. Imediatamente se mostrou aliviada, e uma parte da ansiedade que exibia abandonou seu rosto.

— Você é Oliver Cairney! — Eles se cumprimentaram e então, por alguma razão desconhecida, mas obviamente adequada, ele a beijou no rosto.

— E Caroline? — perguntou, de imediato.

— Estive com ela logo de manhã cedo. Correu tudo bem, e ela está ótima. Vai superar tudo.

Oliver lhe contara tudo pelo telefone na noite anterior, mas agora, dirigindo velozmente rumo ao norte pela ponte Forth, falou a respeito da chegada de Angus:

— Ele apareceu na noite passada, como tinha dito. Veio com uma senhora americana a quem ficara servindo de motorista por toda a região das Highlands. Assim que colocou os pés dentro do hotel, Jody o viu de repente e se reconheceram. Foi um tremendo reencontro!

— Só o fato de terem conseguido se reconhecer já é maravilhoso. Não se viam há muitos anos...

— Jody adora Angus.

— É... Eu compreendo isso agora — disse Diana, com a voz baixa.

— E você não tinha notado antes? — perguntou ele com cautela, para não parecer que a estava reprovando.

— Foi difícil... — disse ela. — Foi muito difícil, no início, ser uma madrasta. Você não pode querer ser uma mãe e ao mesmo tempo tentar ser muito mais do que apenas uma amiga. Além do mais, eles não eram como as outras crianças, nenhum deles. Haviam se criado praticamente sozinhos, correndo soltos, descalços, completamente livres. Enquanto o pai era vivo, isso funcionou muito bem, mas tudo ficou diferente depois que ele morreu.

— Acho que posso entender.

— Eu duvido um pouco de que você consiga... Era como estar constantemente andando sobre o fio de uma lâmina. Eu não queria suprimir-lhes os seus instintos naturais, mas ao mesmo tempo sentia que era necessário criar para eles algum tipo de base sólida, para que pudessem viver suas vidas separadamente, no futuro. Caroline se mostrava sempre tão vulnerável. Foi por isso que eu tentei convencê-la a desistir da idéia de fazer o curso de teatro para conseguir um trabalho como atriz. Tinha medo de que ela se desencorajasse, e acabasse se desapontando e se magoando. E então, quando todos os meus receios acabaram se materializando, foi maravilhoso ver que ela tinha começado a se interessar por Hugh. Achava que, com Hugh olhando por ela, Caroline jamais se machucaria novamente. Talvez eu tenha, de certa forma, manipulado um pouco as coisas, mas pode ter certeza de que foi sempre com as melhores das intenções.

— Você contou a Hugh o que eu lhe falei ontem à noite ao telefone?

— Sim. Logo que desliguei o fone, peguei o carro e fui até o apartamento dele. Não teria coragem de contar tudo por telefone.

— Como é que ele encarou o assunto?

— Nunca dá para saber, quando se trata de Hugh. Mas eu tive a impressão, de um modo engraçado que eu não saberia explicar, de que ele já estava esperando que alguma coisa desse tipo pudesse acontecer. Não que ele tenha me dito alguma coisa. É uma pessoa muito reservada. É auto-suficiente e muito civilizado. O fato, porém, de que Caroline está no hospital vai facilitar, de certa forma, a necessidade de termos que adiar o casamento, socialmente. E depois, no momento em que o noivado chegar a ser formalmente desfeito, as pessoas já terão se acostumado com a idéia.

— Espero que sim.

— Depois que voltei do apartamento de Hugh — a voz de Diana mudou —, fui direto falar com Caleb, aquele bode velho tolo. Foi uma coisa totalmente irresponsável ter emprestado o carro às crianças daquela maneira. É um espanto que ele tenha conseguido chegar até Bedfordshire sem explodir. E tudo isso sem me dizer uma palavra. Fiquei com vontade de estrangulá-lo.

— Ele também fez tudo isso com a melhor das intenções.

— Poderia ao menos ter feito uma revisão no carro...

— Ele obviamente é louco por Jody e Caroline.

— Sim, Caleb adorava todos eles. Era muito ligado ao pai deles, a Jody, a Caroline e a Angus. Sabe, eu queria que Angus ficasse conosco quando o pai morreu, mas ele não queria levar o tipo de vida que eu levava, e não aceitaria nada do que eu pudesse lhe oferecer. Já estava com dezenove anos, e eu jamais pensaria em tentar impedi-lo de sair naquela viagem louca até a Índia. Achava que ele acabaria se livrando daquela obsessão, voltaria para nós e começaria a levar uma vida normal. Mas, como você já deve saber, ele jamais fez isso. Espero que Caroline lhe tenha contado... Ele realmente jamais fez isso.

— Ele próprio me contou — disse Oliver. — Ontem à noite. Ficamos conversando até quase amanhecer. Nessa conversa, eu lhe contei o que Jody pretendia que ele fizesse... Que ele voltasse para Londres e montasse uma casa para os dois morarem juntos. Foi nesse momento que Angus me contou quais eram seus planos. Conseguiu um emprego em uma companhia que faz cruzeiros de iate pelo Mediterrâneo. Vai voltar para Aphros.

— E Jody já sabe disso?

— Não. Não quis contar a ele. Queria discutir o assunto primeiro com você.

— Mas... o que há para discutir?

— Isto... — E fez uma pausa, mas, quando recomeçou a falar, sentiu que as peças começaram a se encaixar... "Click-click"... Formando a figura com precisão, cada recorte de cada peça se embutindo com perfeição, umas com as outras, como era para ser. — Eu vou me casar com Caroline. Assim que ela estiver completamente restabelecida da operação, vamos nos casar. Meu trabalho é em Londres, e eu já tenho um bom apartamento lá, onde podemos morar. E, se você e o seu marido concordarem, ficaremos com Jody também. Há bastante lugar no apartamento para nós três.

Levou algum tempo até todas essas idéias se acomodarem na cabeça de Diana. Por fim, ela perguntou:

— Você está querendo dizer... *Não levar* Jody conosco para o Canadá?

— Ele adora a escola dele, adora morar em Londres, quer ficar junto da irmã. Ele não quer ir para o Canadá.

— Fico imaginando como foi que eu jamais percebi isso... — Diana balançou a cabeça.

— Talvez porque o próprio Jody não quisesse que você percebesse. Não queria ferir seus sentimentos.

— Eu... Vou sentir falta dele... terrivelmente.

— Mas vai deixá-lo ficar?

— Tem certeza de que é isso mesmo que você quer fazer?

— Acho que é o que todos nós estamos querendo.

— Hugh jamais faria isso! — Ela riu. — Não estava preparado para assumir a responsabilidade de ficar com Jody.

— Pois eu estou — disse Oliver. — Se você me permitir. Tive apenas um irmão e sinto muita falta dele. Se tiver que ter outro, gostaria de que fosse Jody.

Subiram pela alameda ao chegar em Cairney, e tanto Angus quanto Jody já estavam esperando por eles, sentados no degrau da porta de entrada, formando um paciente comitê de recepção de apenas duas pessoas. Imediatamente após o carro parar, Diana já estava saltando, quase tropeçando, sem nenhuma preocupação com a elegância, e se curvou para receber um entusiasmado Jody nos braços. Depois, por cima de seus cabelos brilhantes, olhou para o rosto de Angus. A expressão dele era de cautela, mas não mostrava ressentimento. Não compartilhavam as mesmas visões a respeito da vida e do mundo, mas ele conseguira crescer, mesmo longe dela. Agora, o que quer que ele resolvesse fazer com a sua vida não lhe dizia mais respeito, e ela se sentia, de certa forma, muito grata por isso.

Ela sorriu, recuperou o equilíbrio e correu para os braços que Angus abrira para ela, e que a receberam em um imenso e caloroso abraço.

— Ah, Angus! — disse Diana. — Você é impossível, mas como é maravilhoso vê-lo novamente!

Tudo o que Diana queria ver agora era Caroline. Assim, Oliver descarregou suas malas, entregou a Angus as chaves do carro e pediu-lhe para que a levasse até o hospital.

— Eu também quero ir! — disse Jody.

— Não. Nós vamos ficar aqui em casa.

— Mas por quê? Eu quero ver Caroline.

— Mais tarde.

Eles ficaram olhando o carro que se afastava pela alameda, e Jody perguntou novamente:

— Por que você não me deixou ir?

— Porque vai ser bom para eles ficarem por algum tempo juntos, sozinhos. Não se vêem há muitos anos. Além do mais, há um outro motivo. Quero conversar com você. Tenho um monte de novidades para contar.

— Coisas boas?

— Acho que sim. — Colocando a mão em volta da nuca de Jody, virou o seu corpo com carinho e entraram juntos na casa. — As melhores notícias do mundo.

Impresso no Brasil pelo
Sistema Cameron da Divisão Gráfica da
DISTRIBUIDORA RECORD DE SERVIÇOS DE IMPRENSA S.A.
Rua Argentina 171 – Rio de Janeiro, RJ – 20921-380 – Tel.: 2585-2000